KSIĘGA
NAJPIĘKNIEJSZYCH
BAJEK

Księga najpiękniejszych bajek

ilustracje:
Dorota Fic
Andrzej Hamera
Dominik Samol

Papilon

GRUPA WYDAWNICZA
PUBLICAT S.A.

Papilon
książki dla dzieci:
baśnie i bajki, klasyka polskiej poezji, wiersze i opowiadania, powieści, książki edukacyjne, nauka języków obcych

Publicat
poradniki i książki popularnonaukowe:
kulinaria, zdrowie, uroda, dom i ogród, hobby, literatura krajoznawcza, edukacja

Elipsa
albumy tematyczne:
malarstwo, historia, krajobrazy i przyroda, albumy popularnonaukowe

Wydawnictwo Dolnośląskie
literatura młodzieżowa, kryminał i sensacja, historia, biografie, literatura podróżnicza

Książnica
literatura kobieca i obyczajowa, beletrystyka historyczna, literatura młodzieżowa, thriller i horror, fantastyka, beletrystyka w wydaniu kieszonkowym

NajlepszyPrezent.pl
TWOJA KSIĘGARNIA INTERNETOWA

Opracowanie tekstu polskiego na podstawie baśni H. Ch. Andersena, J. i W. Grimm, Ch. Perraulta:
Ludwik Cichy (s. 185, 209), Katarzyna Karczewska (s. 149, 173),
Anna Sójka-Leszczyńska (s. 29, 161, 197, 221, 245, 269, 305, 341, 353),
Danuta Wróbel (s. 5, 17, 41, 65, 77, 101, 113, 125, 137, 293, 317);
opracowanie tekstu polskiego na podstawie baśni rosyjskich oraz bajek Ezopa:
Marcin Przewoźniak (s. 53, 89, 233, 281, 329)
Redakcja – Paulina Matuszak
Opracowanie komputerowe projektu – Marek Nitschke
Projekt okładki – Robert Rejch
Korekta – Paulina Matuszak, Wioletta Kosmala

ISBN 978-83-245-7315-8

Papilon – znak towarowy
Publicat S.A.
61-003 Poznań, ul. Chlebowa 24
tel. 61 652 92 52, fax 61 652 92 00
e-mail: papilon@publicat.pl
www.publicat.pl

Brzydkie kaczątko

Trrr... trrach! Pękały po kolei skorupki jajek.
Mama kaczka radośnie spoglądała na wykluwające się żółciutkie jak kaczeńce pisklęta. Pozostało jeszcze jedno, największe jajo.

– Lepiej zostaw
je w spokoju, bo nic dobrego
się z niego nie wykluje –
– ostrzegała przechodząca
obok gęś.

Kaczka była jednak uparta i wygodniej usadowiła się na gnieździe. Wreszcie z jajka wygramoliło się ostatnie pisklę. Było dziwnie duże i szare.

– Ojej, jaki on brzydki! – skrzywiły się kaczęta na widok braciszka.

– A nie mówiłam! –
zasyczała znowu gęś.
Słysząc to, biedny malec rozpłakał się rzewnie. Wszyscy wokół mu dokuczali i nazywali brzydkim kaczątkiem. Pewnego dnia nie mógł już tego znieść i wyruszył w świat.

Szedł i szedł,
aż napotkał wiejską
zagrodę. Nie znalazł
tam jednak przyjaciół.

Nastały chłodniejsze dni.
Gdy pewnego razu przydreptał nad wodę, ujrzał pływające niedaleko brzegu ogromne, białe ptaki.
Były to łabędzie.

– Och, jaka szkoda, że nie jestem taki jak one! – westchnął, patrząc, jak z łopotem skrzydeł wzbijają się w górę. – Poczekam, może jeszcze wrócą...

Wkrótce zrobiło
się całkiem zimno.
Zziębniętego i głodnego
malca znalazły dzieci
i zabrały ze sobą.
Mieszkający w domu rudy
kot, spostrzegłszy kaczątko,
postanowił na nie zapolować.
Biedny ptak znów musiał
uciekać.

Wreszcie nadeszła wiosna i zazieleniły się trawy. Nad staw powróciły łabędzie. Kaczątko zapragnęło przyjrzeć im się z bliska.

– Ależ ty jesteś piękny! Chodź do nas! – zawołały na jego widok.

Zawstydzony ptak opuścił głowę. Jakież było jego zdumienie, gdy zobaczył swoje odbicie w wodzie. On także był wspaniałym, śnieżnobiałym łabędziem!

Mieszkańcy rodzinnego podwórka mogli mu teraz tylko zazdrościć.

Calineczka

Żyła sobie kiedyś śliczna,
maleńka dziewczynka.
Mierzyła zaledwie jeden cal,
nazwano ją więc Calineczką.
Wieczorami zasypiała
w łóżeczku z łupiny orzecha
wyścielonym miękkim
puchem, przykryta
liśćmi.

Któregoś dnia śpiącą dziewczynkę dostrzegła wielka ropucha i postanowiła ją porwać na żonę dla swojego syna. Kiedy Calineczka obudziła się, bardzo się przestraszyła.

– Ależ ona jest brzydka, mamo – zarechotał niechętnie pryszczaty ropuch i schował się w szuwarach. Matka skoczyła za nim.

Gdy Calineczka została sama,
z jej oczu popłynęły maleńkie łzy.
W pewnej chwili pojawił się obok
piękny, kolorowy motyl.
– Pomóż mi – szlochała
dziewczynka. –
Nie wiem, jak
wrócić do domu!

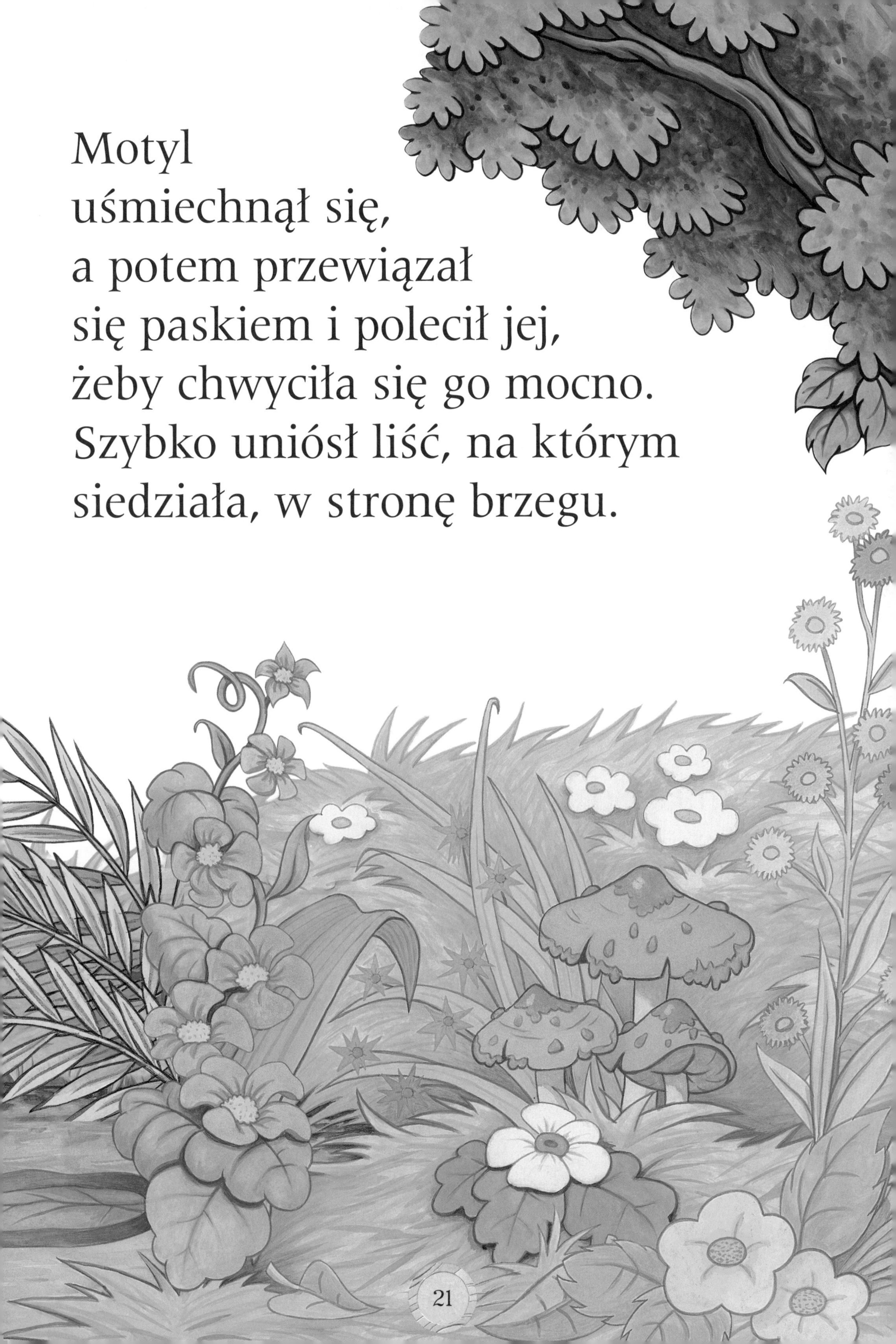

Motyl uśmiechnął się, a potem przewiązał się paskiem i polecił jej, żeby chwyciła się go mocno. Szybko uniósł liść, na którym siedziała, w stronę brzegu.

Nagle nadleciał wielki chrabąszcz i porwał Calineczkę wysoko na drzewo.
– Buu, bzz – bzykały inne owady z niesmakiem. – To nie jest odpowiednia żona dla ciebie. Ma za mało skrzydeł i nóg!
Chrabąszcz posadził więc dziewczynkę na łące i odfrunął.
Calineczka wiodła teraz samotne życie. Piła kwiatowy nektar i rosę, sypiała pod liściem łopianu.

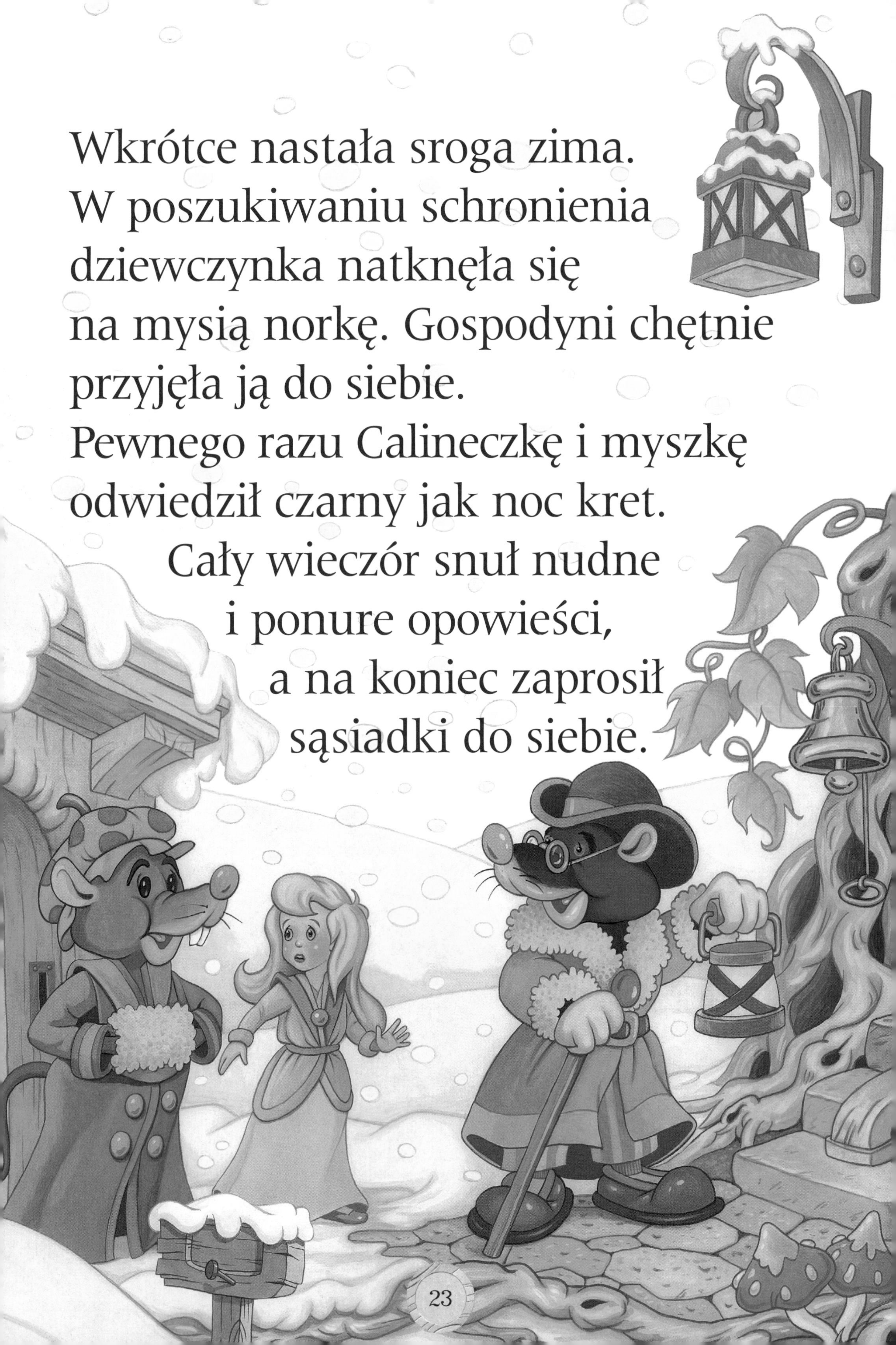

Wkrótce nastała sroga zima.
W poszukiwaniu schronienia
dziewczynka natknęła się
na mysią norkę. Gospodyni chętnie
przyjęła ją do siebie.
Pewnego razu Calineczkę i myszkę
odwiedził czarny jak noc kret.
Cały wieczór snuł nudne
i ponure opowieści,
a na koniec zaprosił
sąsiadki do siebie.

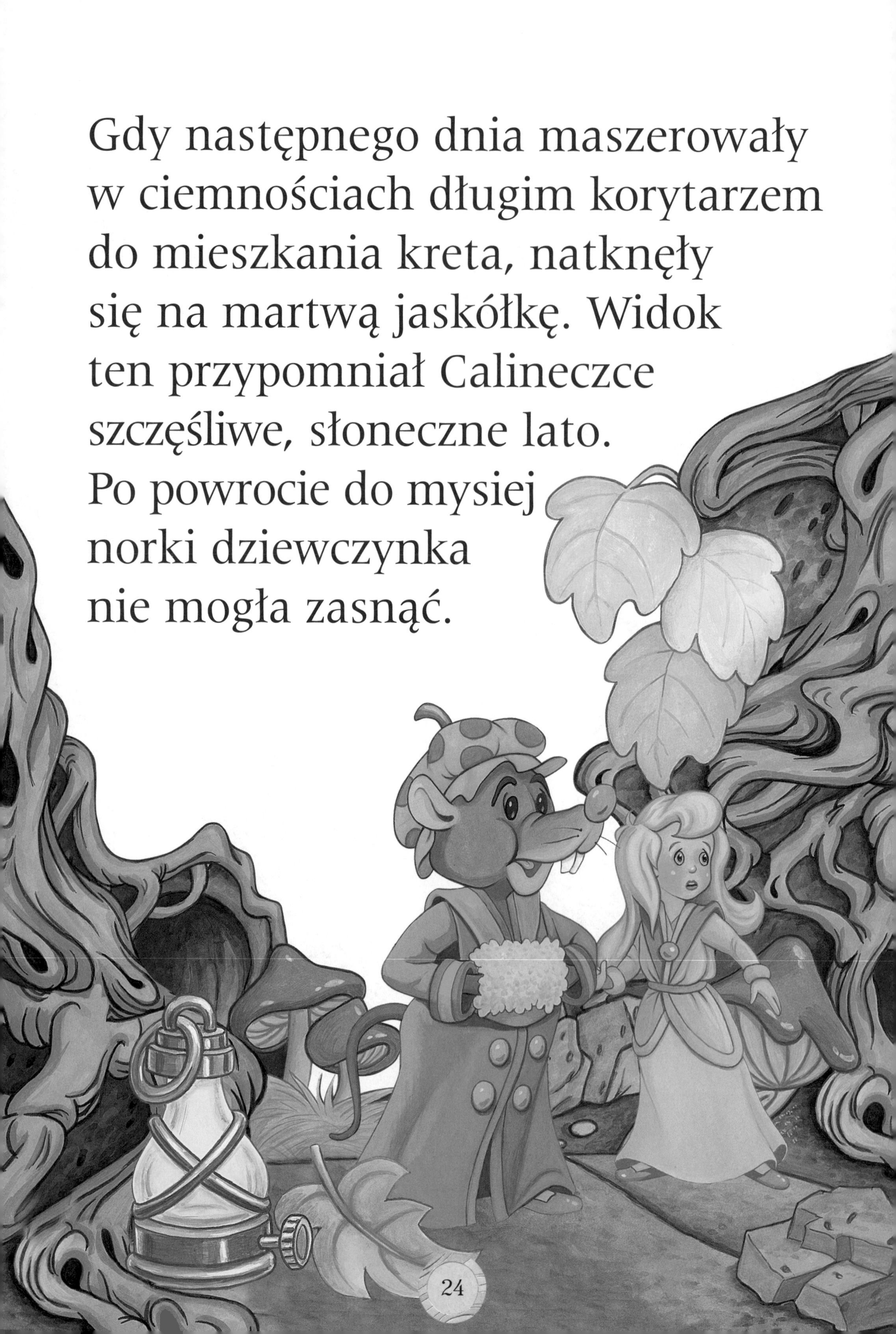

Gdy następnego dnia maszerowały w ciemnościach długim korytarzem do mieszkania kreta, natknęły się na martwą jaskółkę. Widok ten przypomniał Calineczce szczęśliwe, słoneczne lato. Po powrocie do mysiej norki dziewczynka nie mogła zasnąć.

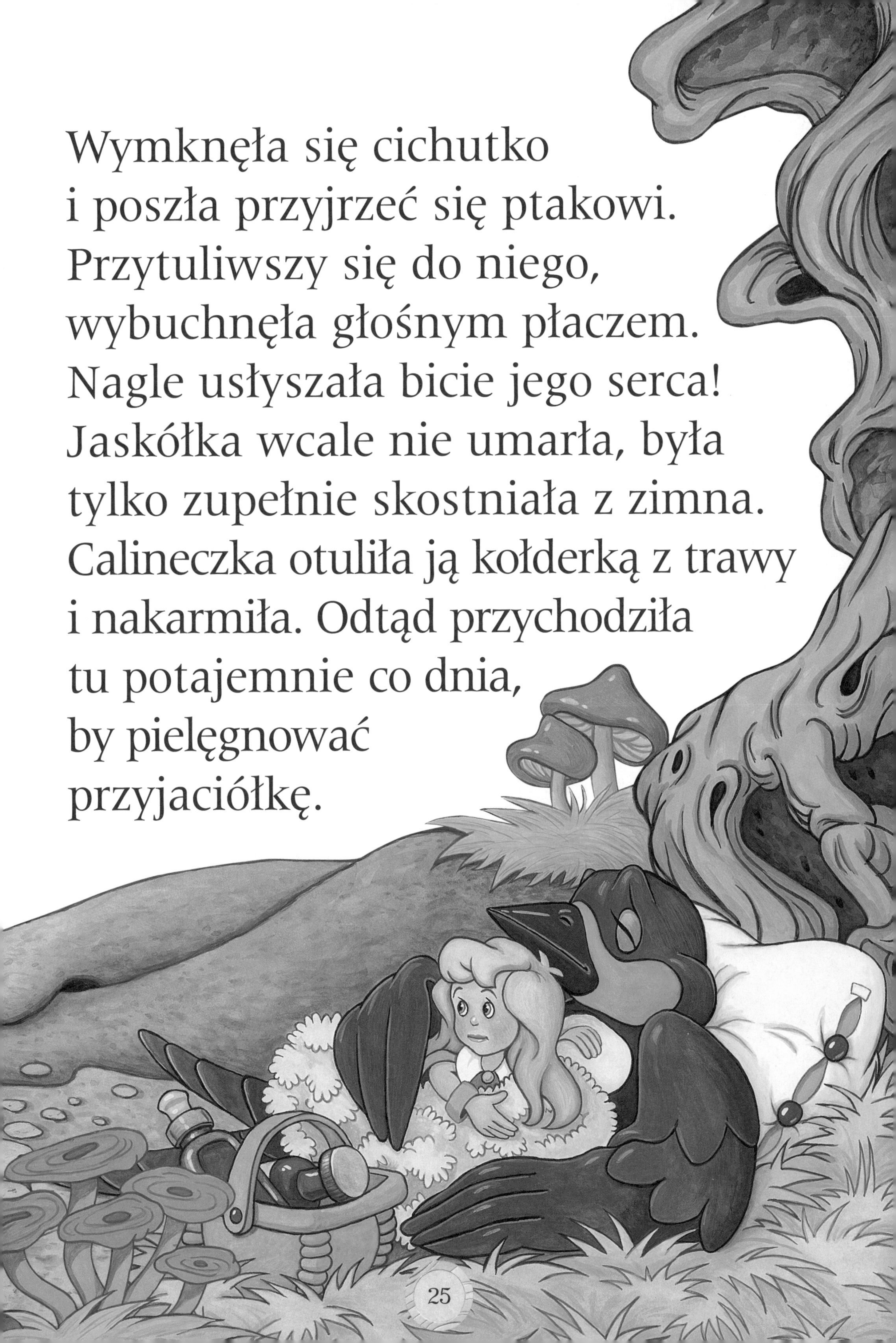

Wymknęła się cichutko
i poszła przyjrzeć się ptakowi.
Przytuliwszy się do niego,
wybuchnęła głośnym płaczem.
Nagle usłyszała bicie jego serca!
Jaskółka wcale nie umarła, była
tylko zupełnie skostniała z zimna.
Calineczka otuliła ją kołderką z trawy
i nakarmiła. Odtąd przychodziła
tu potajemnie co dnia,
by pielęgnować
przyjaciółkę.

Gdy nadeszła wiosna, jaskółka wróciła do sił.

– Leć ze mną, Calineczko – mówiła, gotując się do lotu. – Wrócisz na łąkę, będziesz znowu bawić się z motylami.

– Chciałabym, ale nie mogę zostawić mojej opiekunki. Była dla mnie taka dobra!

Jaskółka zatrzepotała skrzydłami i odfrunęła.

Wkrótce mysz
oznajmiła dziewczynce,
że kret poprosił o jej rękę.
Słysząc to, Calineczka wybiegła
przed dom. Za nic nie chciała
zostać żoną nudnego kreta
i spędzić reszty życia
pod ziemią, bez słońca
i kwiatów!

Wtem usłyszała
znajomy głos:
– Leć ze mną!
Leć ze mną
za morze!
Tym razem, nie zważając na groźby polnej myszy, dziewczynka wskoczyła na grzbiet jaskółki i razem poleciały do ciepłych krajów. Tam Calineczka została żoną najpiękniejszego z elfów i żyła długo i szczęśliwie.

Czerwony Kapturek

Dawno, dawno temu
żyła sobie dziewczynka
nazywana Czerwonym
Kapturkiem. Często
razem z mamą odwiedzała
babcię, która mieszkała
w małej chatce
za lasem.

Jednak pewnego
dnia mama była bardzo
zajęta i dziewczynka
musiała sama pójść do babci.
Staruszka źle się czuła – trzeba
było zanieść jej lekarstwa,
chleb i owoce.

Mama ostrzegała córeczkę, żeby nie schodziła z leśnej ścieżki i szła prosto do domku babci, nie zatrzymując się po drodze. Zabroniła jej także rozmawiać z nieznajomymi.

Ale dziewczynka
postanowiła zanieść
chorej babci bukiet kwiatów
i zrywając je to tu, to tam,
zawędrowała w głąb lasu.
Nie zauważyła, że ktoś
jej się przygląda.

Był to zły wilk. Uprzejmie przywitał się z dziewczynką, a ona opowiedziała mu o chorej babci i wskazała drogę do jej domu.

Wilk pobiegł na skróty, pożarł staruszkę i przebrany w jej czepek, oczekiwał przyjścia Czerwonego Kapturka.

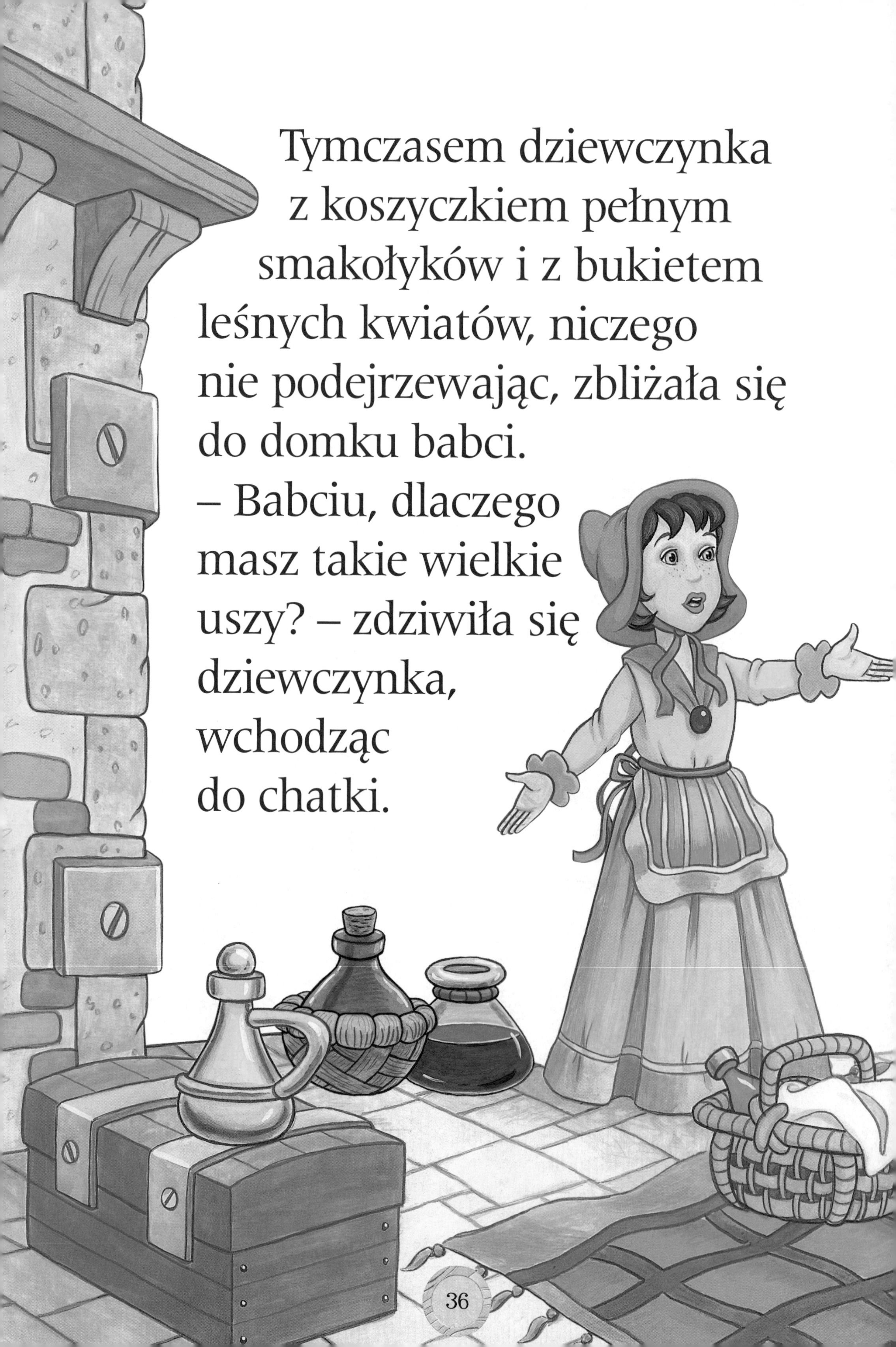

Tymczasem dziewczynka z koszyczkiem pełnym smakołyków i z bukietem leśnych kwiatów, niczego nie podejrzewając, zbliżała się do domku babci.

– Babciu, dlaczego masz takie wielkie uszy? – zdziwiła się dziewczynka, wchodząc do chatki.

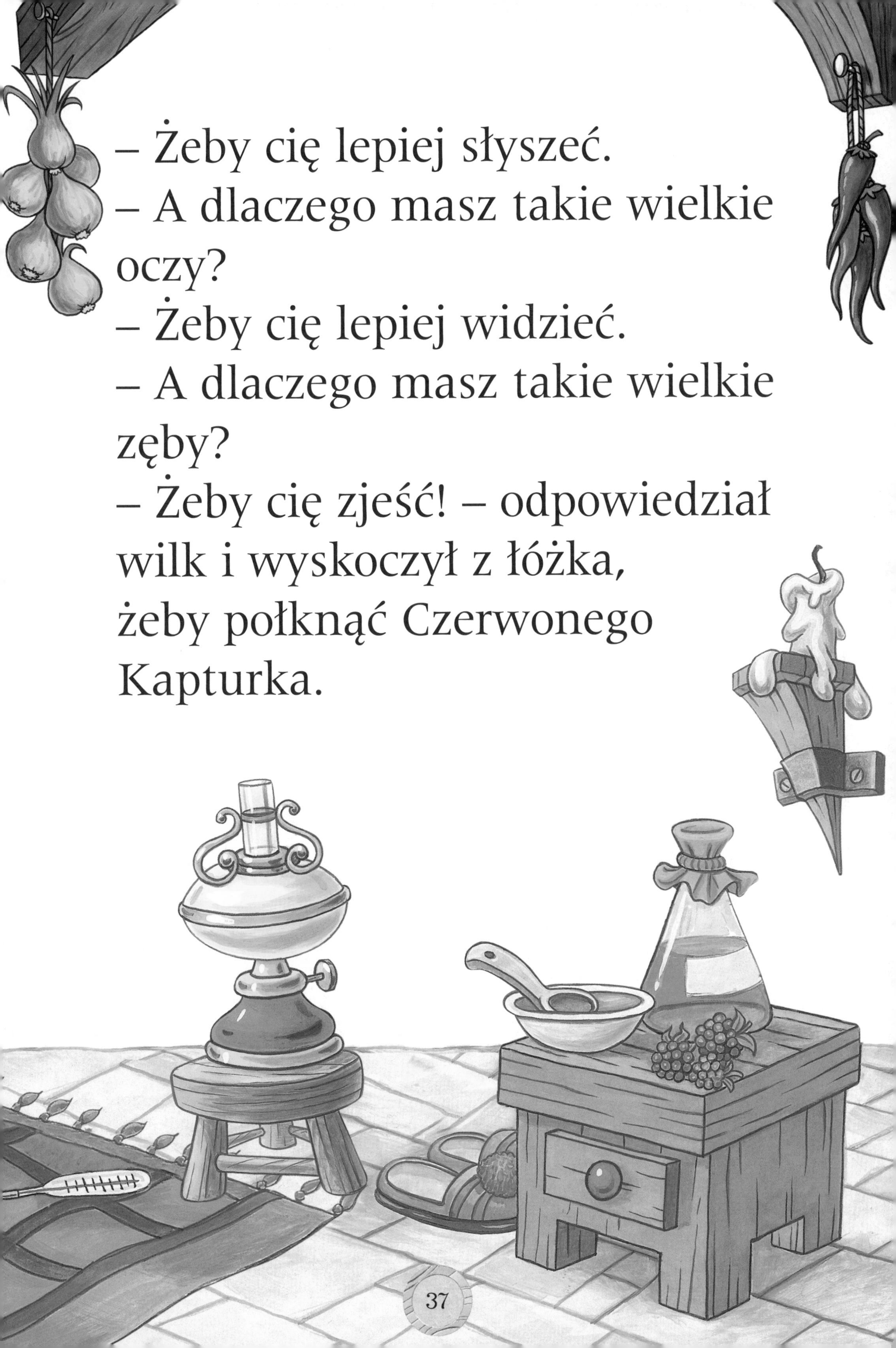

– Żeby cię lepiej słyszeć.
– A dlaczego masz takie wielkie oczy?
– Żeby cię lepiej widzieć.
– A dlaczego masz takie wielkie zęby?
– Żeby cię zjeść! – odpowiedział wilk i wyskoczył z łóżka, żeby połknąć Czerwonego Kapturka.

Na szczęście dziewczynka
w porę uskoczyła i zły wilk
musiał obejść się
smakiem.

Czym prędzej
pobiegła po leśniczego,
który zabił wilka
i uwolnił babcię.

Babcia i wnuczka dziękowały dzielnemu leśniczemu za ocalenie. Radości wszystkich nie było końca.

Czterej muzykanci z Bremy

W pewnej wiosce żył młynarz, który miał bardzo mądrego osła. Biedny kłapouch od świtu do nocy ciężko pracował, a gdy się zestarzał, niewdzięczny gospodarz postanowił się go pozbyć.

– Idź precz, darmozjadzie! – zawołał.
– Nie ma z ciebie żadnego pożytku.
Nieszczęsny osioł zwiesił smętnie głowę. Wtem przypomniał sobie, że nadal ma donośny głos.
– Zostanę muzykantem! – zaryczał radośnie i pokłusował w stronę miasta Bremy.

Nie uszedł daleko, gdy nagle ujrzał w przydrożnym rowie psa.

– Stary już jestem i nie nadaję się do polowań, więc nikt mnie nie chce – wył biedak niemiłosiernie.

– Nie martw się, przyjacielu – pocieszył go osioł. – Podobnie jak ja masz przecież całkiem niezły głos. Stworzymy świetny duet!

Pies zgodził się i razem powędrowali do Bremy.

Na skraju pastwiska natknęli się na kota. Był brudny i wychudzony.
– Co ci się stało? – zapytał osioł.
– Stary już jestem, węch mi się stępił i często nie widzę, jak myszy harcują pod moim nosem. Gospodyni zdenerwowała się i wyrzuciła mnie z domu – biadolił kot.
– Chodź z nami. W Bremie chętnie posłuchają kociej muzyki.

Kot bez wahania przystał na ich propozycję i w trójkę ruszyli dalej.

Gdy mijali chłopską zagrodę, usłyszeli przeraźliwe pianie koguta.

– Ale masz donośny głos! – zaszczekał z podziwem pies.

– Gospodyni chce ze mnie ugotować rosół na niedzielę – piał smutno kogut.

– Lepiej zostań muzykantem – doradził mu osioł.

I kogut przyłączył się do nich.

Nim się spostrzegli, zapadła noc. Do miasteczka było jeszcze daleko, więc postanowili spocząć pod pobliskim dębem. Kot i kogut wspięli się na drzewo, a osioł i pies pozostali na dole.

– Hej, kukuryku! – zapiał nagle kogut. – W oddali widzę jakieś światło. Może to miejsce na nocleg?

Zwierzęta ruszyły w drogę.

Wkrótce spomiędzy drzew wyłoniła się niewielka drewniana chatka. W środku, przy suto zastawionym stole, siedzieli trzej zbójcy, grając w karty.

Zwierzęta spojrzały na siebie – były bardzo głodne i marzyły o przytulnym legowisku.

Po krótkiej naradzie pies wdrapał się na grzbiet osła, kot – psa, a kogut – kota.

Na dany znak rozpoczęli straszliwy koncert – osioł ryczał, pies szczekał, kot miauczał, a kogut piał ile sił w starych płucach.

Słysząc to, zbójcy uciekli z krzykiem. Sądzili, że ich dom nawiedziły upiory.

Odtąd w chatce żyją
szczęśliwie czterej muzykanci.
Nikt nie zakłóca im spokoju.
Niekiedy tylko
zapraszają sąsiadów
na swoje koncerty.

O koguciku Złotym Grzebyku

W małym domku na skraju lasu żyli sobie trzej przyjaciele: kot, szpak i kogucik zwany Złotym Grzebykiem. Kogucik był spośród nich najmłodszy, a więc najbardziej beztroski i łatwowierny.
Pewnego razu kot i szpak poszli do lasu narąbać drzewa na opał.

– Pamiętaj, koguciku Złoty Grzebyku, nikomu nie otwieraj i nikogo nie wpuszczaj, bo jeszcze przyjdzie lisica i cię porwie – powiedzieli malcowi kot i szpak i poszli do pracy. A kogucik został sam.

Za chwilkę pod okienkiem
chatki zjawiła się głodna lisica.
– Witaj, koguciku, mój Złoty
Grzebyku. Otwórz mi okienko, dam
ci trzy ziarenka – zaśpiewała słodko.
Kogucik otworzył okiennicę,
wystawił łepek...
i lisica porwała
go do lasu.

– Ach, ratujcie mnie! Lisica mnie zje! Kuku-ryku, riku-taku, ratuj, kocie, ratuj, szpaku! – zdołał zapiać kogucik. Przyjaciele usłyszeli to rozpaczliwe wołanie i uratowali kogucika.
Nazajutrz szpak i kot znowu wybierali się do lasu.
Ponownie nakazali kogucikowi:
– Nikomu nie otwieraj i nie daj się nabrać na żadne obietnice!

Po kilku minutach pod okienkiem
już kręciła się lisica. Tym razem
kogucik nie uwierzył w piosenkę,
ale lisica śpiewała dalej:
– Chłopi przebiegali, ziarna rozsypali.
Kurki wszystko wydziobały,
kogutkom nie dały!

Kogucik Złoty Grzebyk
otworzył okiennicę i zapiał:
– Kukuryku! Jak to, nie dały?!
Lisica złapała go i uniosła w las.
– Ach, ratujcie mnie! Lisica mnie zje!
Kuku-ryku, riku-taku, ratuj, kocie,
ratuj, szpaku! – zapiał kogucik.
I znowu przyjaciele usłyszeli
go i uwolnili.

Po kilku dniach kot i szpak znów musieli wybrać się po drewno.
– Tylko pamiętaj i tym razem nie daj się nabrać na piosenki. Idziemy na drugą stronę lasu i naprawdę nie będziemy cię słyszeć – powiedzieli kogucikowi i poszli.

A lisica, jak się domyślacie, tylko na to czekała.
– Witaj koguciku, mój Złoty Grzebyku. Otwórz mi okienko, dam ci trzy ziarenka – zachęcała kogutka, ale malec nie wyjrzał.
– Chłopi przebiegali, ziarna rozsypali. Kurki wszystko wydziobały, kogutkom nie dały! – zaśpiewała znowu, ale i tym razem kogucik nawet nie pisnął.

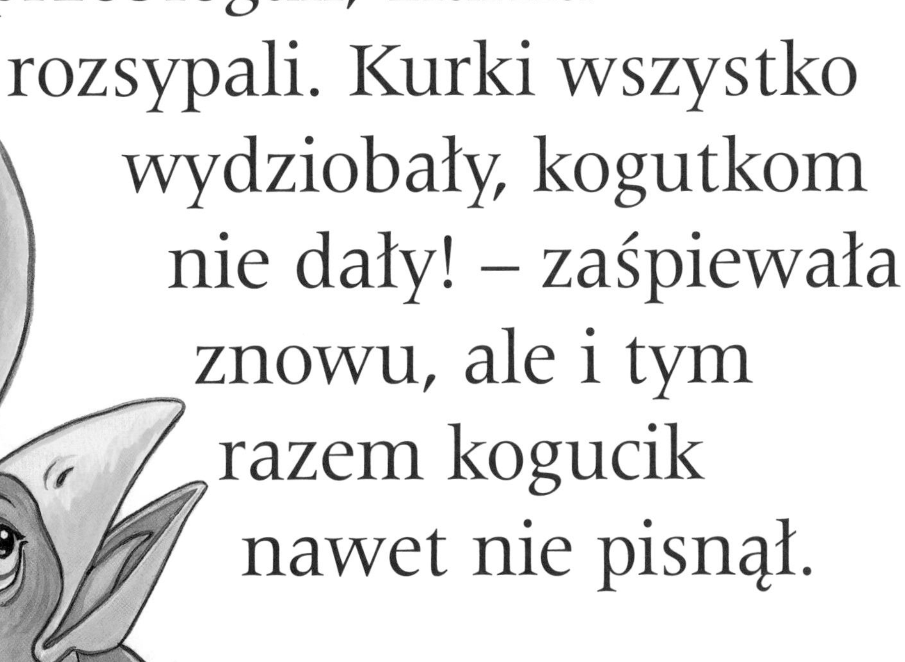

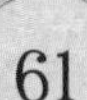

– Ludzie przechodzili, okruszki rzucili. Kury ziemię pazurami zryły, a koguciki przepędziły – zaśpiewała lisica.

– Kukuryku! Jak to, przepędziły? – zapiał kogucik, ukazując się w otwartym oknie.

Lisica chwyciła go mocno i pomknęła do swej nory.

Gdy kot i szpak wrócili do chaty, nie zastali kogucika. Domyślili się, co mogło się stać i pobiegli do lisiego domku. Szpak wleciał do środka przez komin i tak zaczął dziobać lisicę po uszach, aż wybiegła na dwór. Tam czekał już kot, który wysmagał ją brzozową witką. Płacząc i zasłaniając się łapkami, lisica pognała za góry, za lasy.

Wtedy przyjaciele uwolnili kogucika i wrócili do domu. Kogucik zapamiętał dobrze lekcję i nigdy już nie otwierał okienka obcym. Lisica też zrozumiała, że to nie przelewki i nigdy więcej nie przychodziła do domku kota, szpaka i kogucika Złotego Grzebyka.

Jaś i Małgosia

Za siedmioma górami, za siedmioma rzekami, w niewielkiej chatce pośrodku lasu żyło sobie rodzeństwo – Małgosia i Jaś. W okolicy panował głód, ludzie nie mieli co jeść, a o słodyczach nie mogli nawet marzyć.

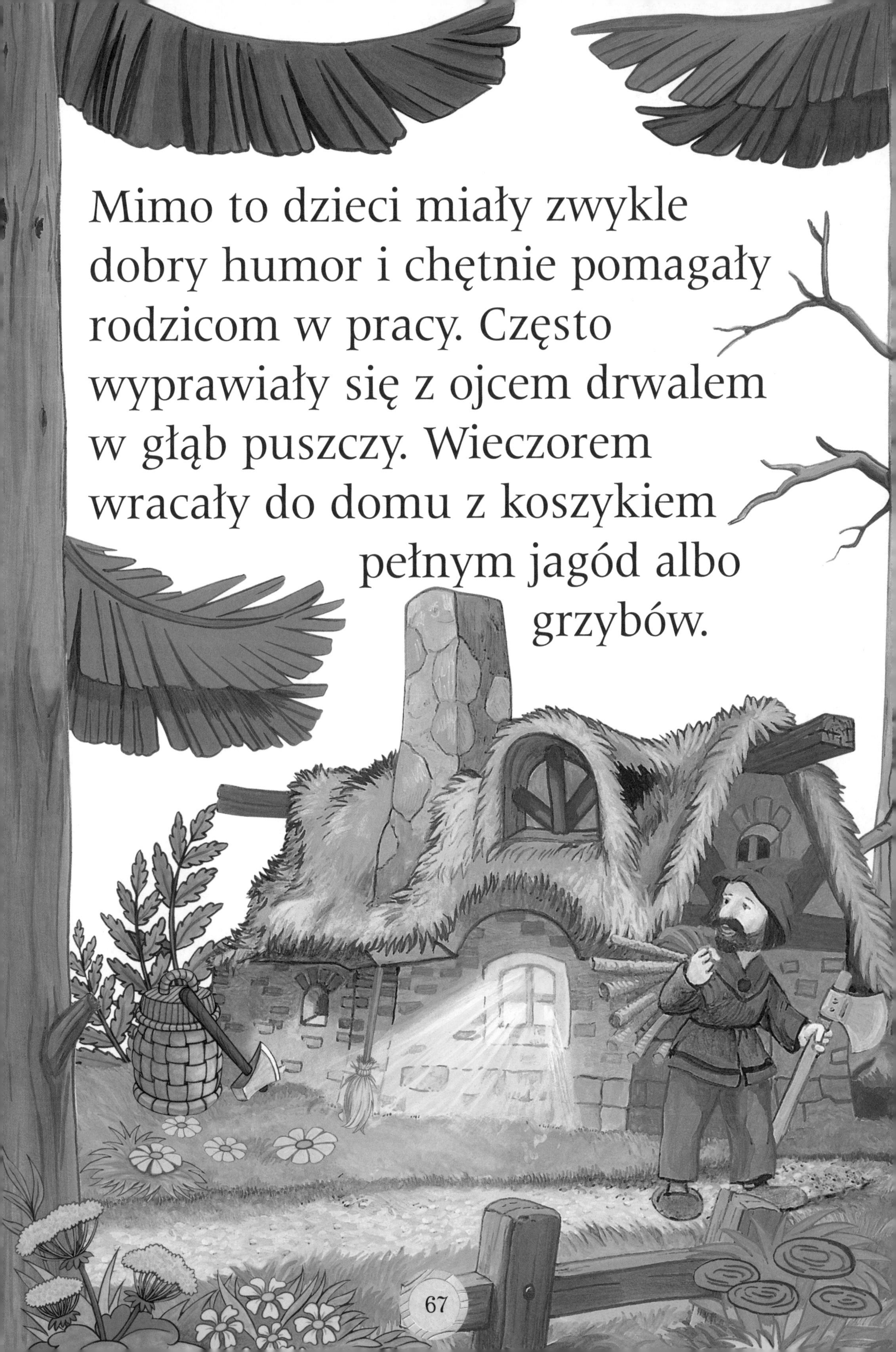

Mimo to dzieci miały zwykle dobry humor i chętnie pomagały rodzicom w pracy. Często wyprawiały się z ojcem drwalem w głąb puszczy. Wieczorem wracały do domu z koszykiem pełnym jagód albo grzybów.

Pewnego razu jednak zgubiły się w gęstwinie drzew. Tymczasem zapadł zmrok. Wiał silny wiatr, a w dali słychać było wycie wilków. Maluchy przytuliły się do siebie przerażone. Strasznie długo trwała ta okropna noc!

Rankiem dzieci dostrzegły na skraju polany niewielki domek. Gdy zaciekawione podeszły bliżej, odkryły, że zbudowano go z... piernika! Wygłodniałe, nie mogły oderwać wzroku od pokrytych malinowym lukrem ścian, połyskujących smakowicie landrynkowych dachówek i przystrojonych puszystą śmietaną lodów w ogródku.

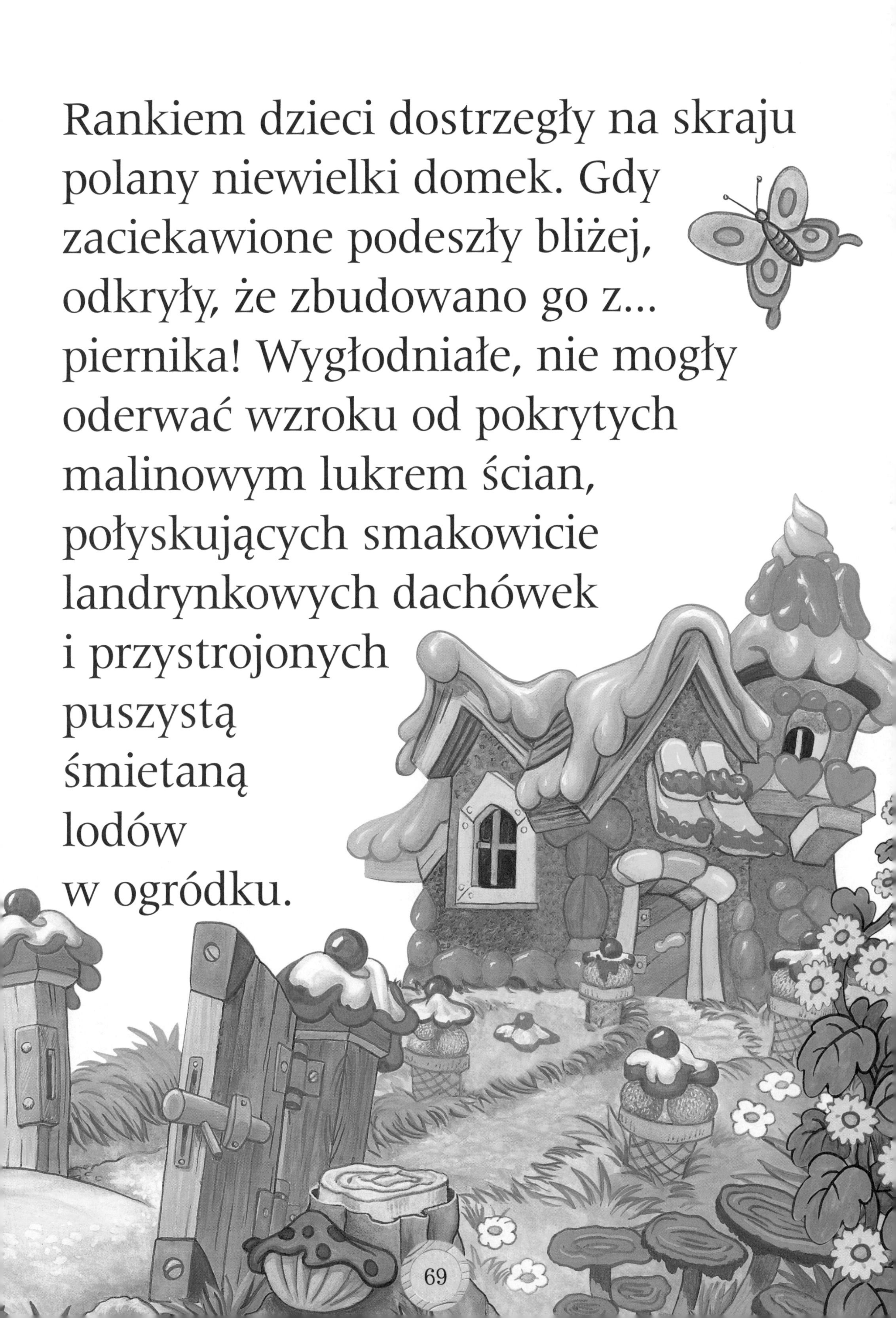

W końcu nie wytrzymały
i odłamały kawałek
pachnącego miodem ciasta.
Wtem zaskrzypiały drzwi
i w progu ukazała się staruszka.
Uśmiechając się życzliwie,
zaprosiła
dzieci do
środka.

Ledwie znaleźli się
w izbie, kobieta zmieniła
się nie do poznania.
W rzeczywistości była
bowiem okropną, starą
wiedźmą.

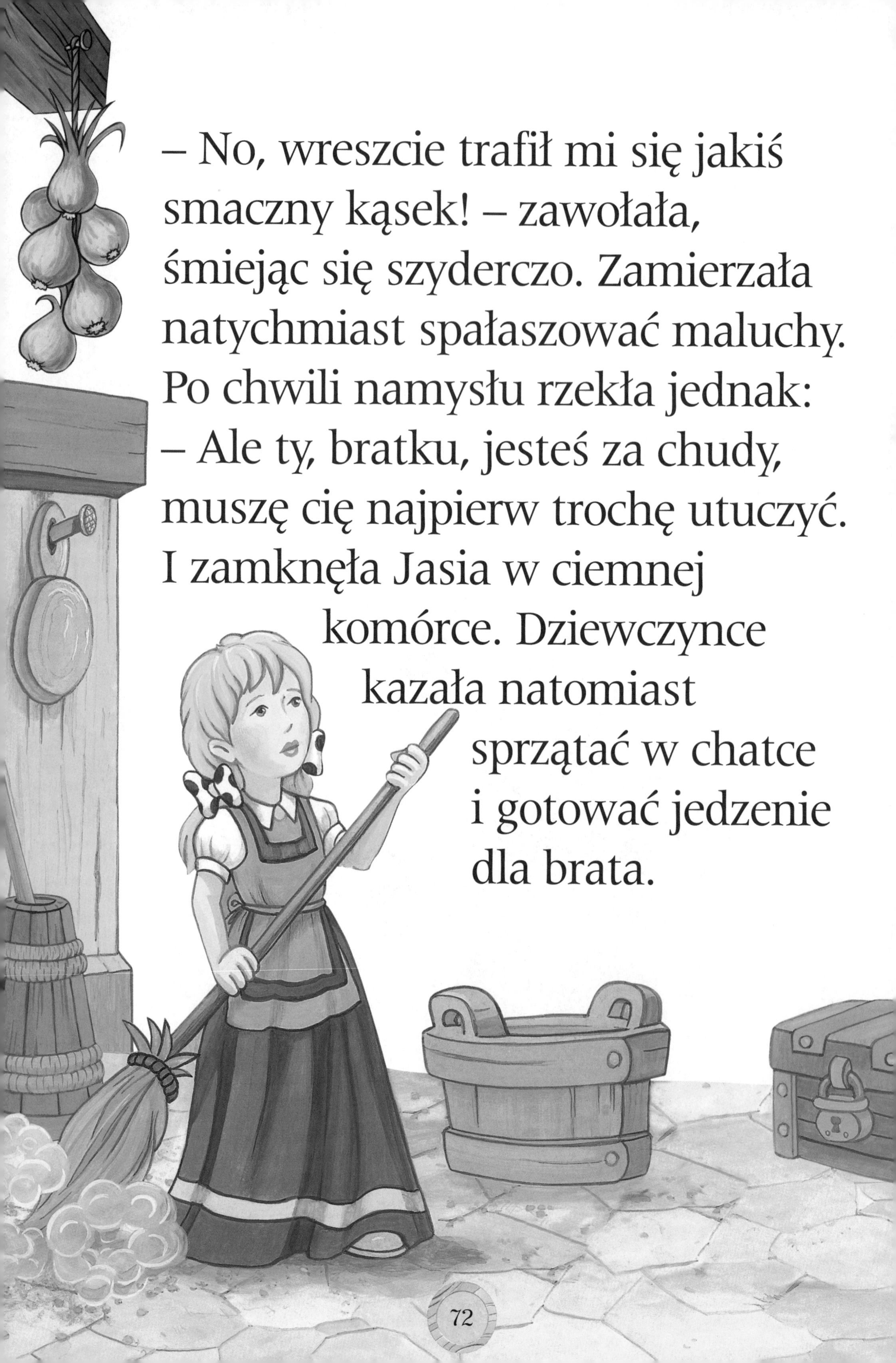

– No, wreszcie trafił mi się jakiś smaczny kąsek! – zawołała, śmiejąc się szyderczo. Zamierzała natychmiast spałaszować maluchy. Po chwili namysłu rzekła jednak:

– Ale ty, bratku, jesteś za chudy, muszę cię najpierw trochę utuczyć.

I zamknęła Jasia w ciemnej komórce. Dziewczynce kazała natomiast sprzątać w chatce i gotować jedzenie dla brata.

Z dnia na dzień Jaś stawał się pulchniejszy. Aby sprawdzić, czy chłopiec nadaje się już do zjedzenia, starucha kazała mu codziennie wieczorem pokazywać kciuk. Sprytny malec podsuwał jednak zamiast swego palca małą, ogryzioną kość. Wiedział, że czarownica ma nie najlepszy wzrok.

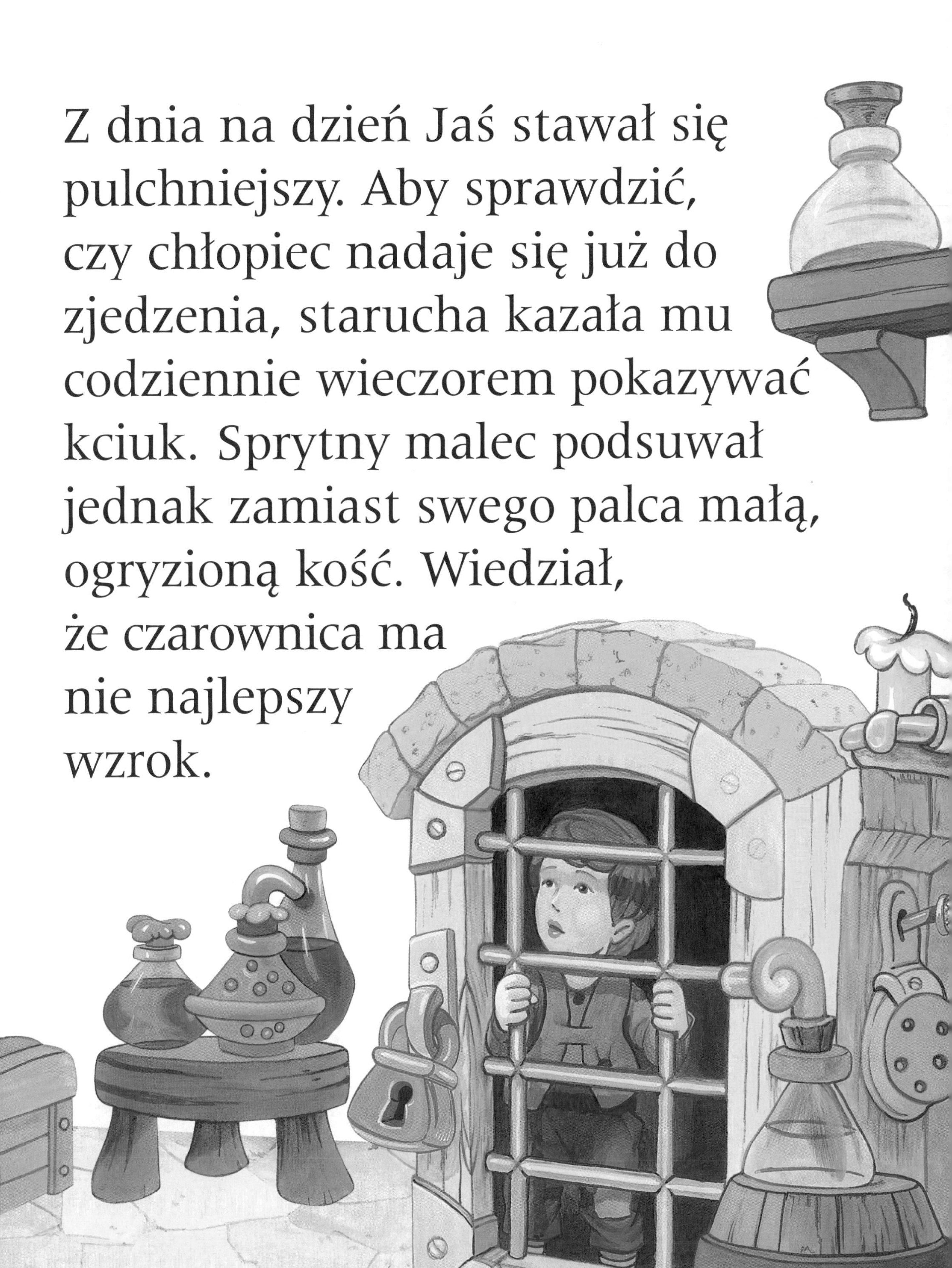

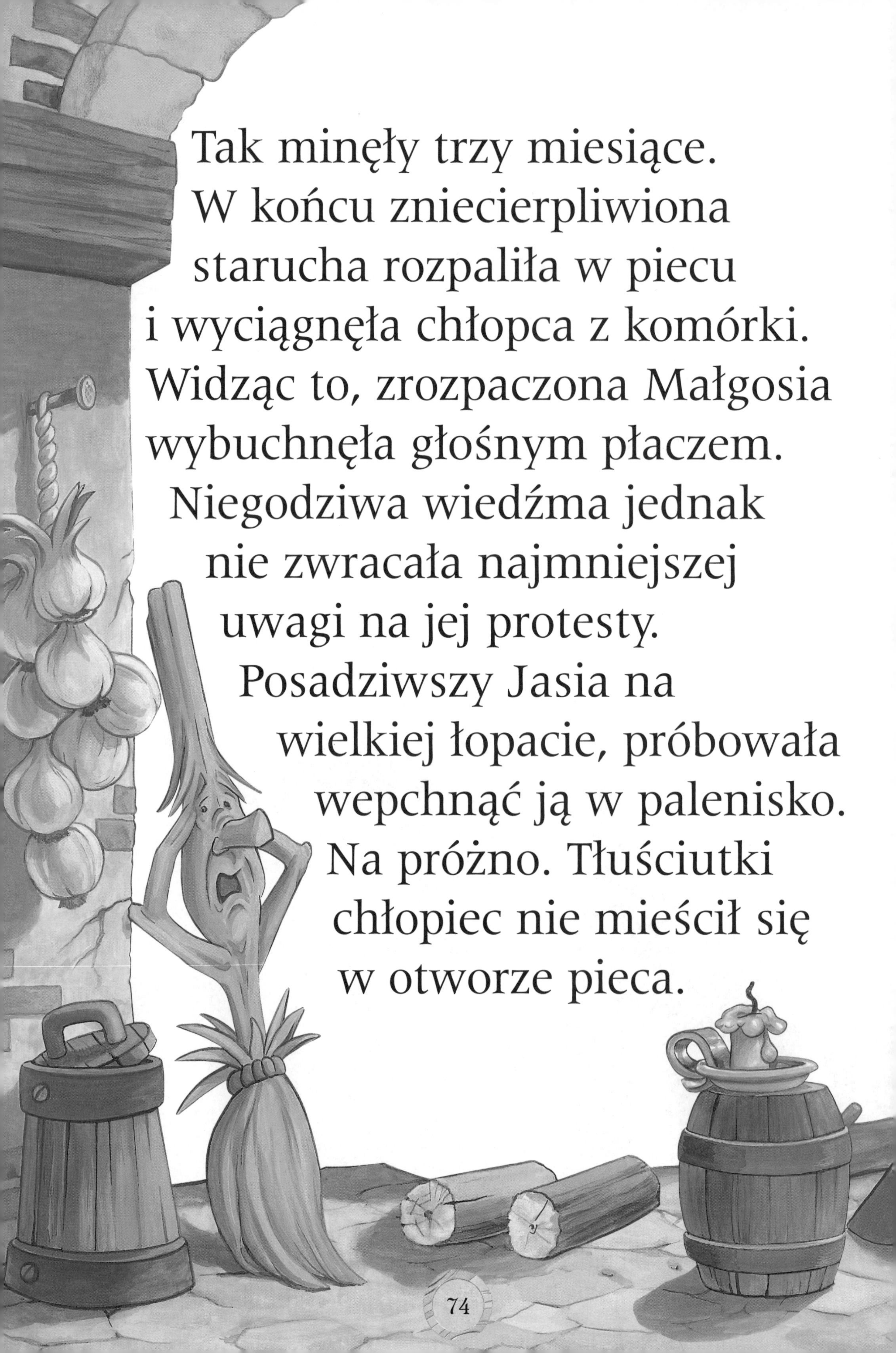

Tak minęły trzy miesiące.
W końcu zniecierpliwiona
starucha rozpaliła w piecu
i wyciągnęła chłopca z komórki.
Widząc to, zrozpaczona Małgosia
wybuchnęła głośnym płaczem.
Niegodziwa wiedźma jednak
nie zwracała najmniejszej
uwagi na jej protesty.
Posadziwszy Jasia na
wielkiej łopacie, próbowała
wepchnąć ją w palenisko.
Na próżno. Tłuściutki
chłopiec nie mieścił się
w otworze pieca.

Czarownica postanowiła więc pokazać mu, jak powinien się zachować. Położyła się na wznak na łopacie, a wówczas Małgosia wepchnęła ją wprost do rozgrzanego pieca.

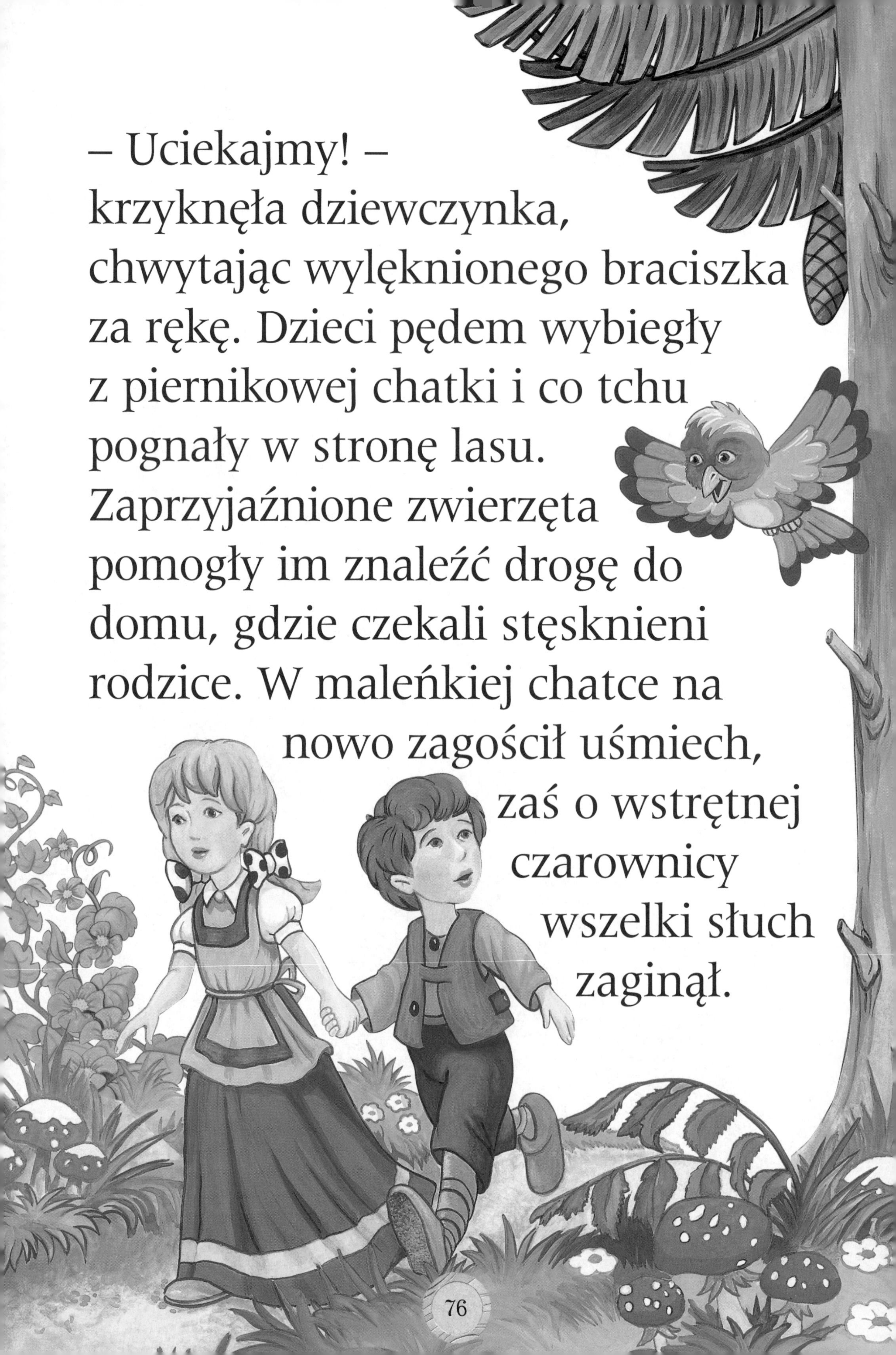

– Uciekajmy! – krzyknęła dziewczynka, chwytając wylęknionego braciszka za rękę. Dzieci pędem wybiegły z piernikowej chatki i co tchu pognały w stronę lasu. Zaprzyjaźnione zwierzęta pomogły im znaleźć drogę do domu, gdzie czekali stęsknieni rodzice. W maleńkiej chatce na nowo zagościł uśmiech, zaś o wstrętnej czarownicy wszelki słuch zaginął.

Kopciuszek

Dawno temu w pewnym domu mieszkało małżeństwo z córką, którą oboje rodzice kochali nad życie. Niestety, matka dziewczynki zmarła, a ojciec po kilku latach ożenił się powtórnie.

Niegodziwa
macocha i jej dwie
leniwe córki na każdym
kroku wysługiwały się
sierotą. Nazywały ją
Kopciuszkiem, gdyż
od ciągłego sprzątania
miała twarz
umorusaną
kurzem
i sadzą.

Pewnego dnia rozeszła się wieść,
że młody książę urządza wielki bal,
na który zaprasza wszystkie
panny z okolicy.
Szpetne siostry natychmiast
zabrały się do przymierzania
strojów i upinania fryzur.
Biedny Kopciuszek miał oczywiście
pozostać w domu i... oddzielać
proso od ziaren maku.

Wieczorem wystrojone pannice udały się wraz z matką do pałacu.

– Och, jaka szkoda, że nigdy nie pójdę na bal – westchnął Kopciuszek i gorzko zapłakał.

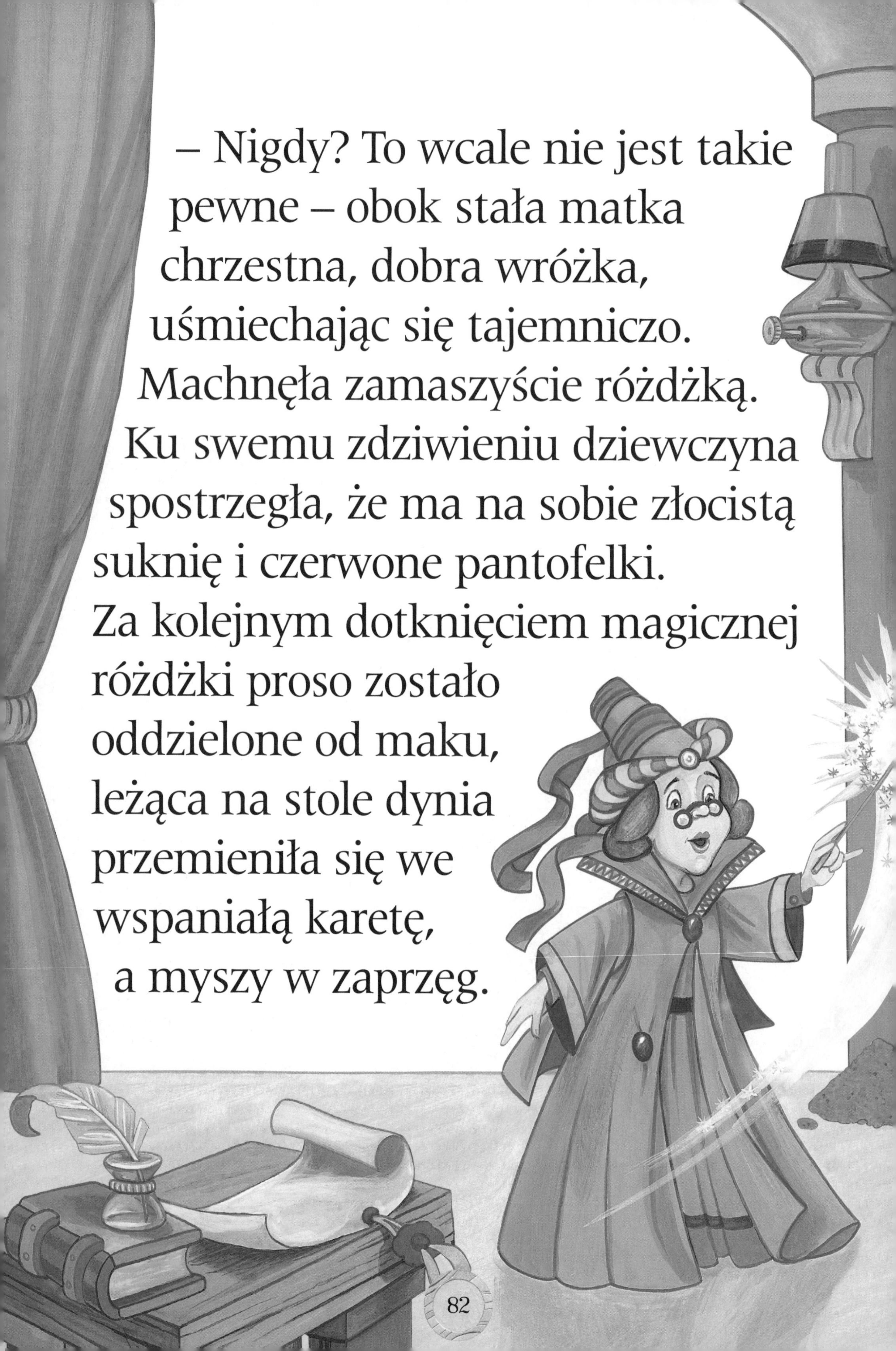

– Nigdy? To wcale nie jest takie pewne – obok stała matka chrzestna, dobra wróżka, uśmiechając się tajemniczo. Machnęła zamaszyście różdżką. Ku swemu zdziwieniu dziewczyna spostrzegła, że ma na sobie złocistą suknię i czerwone pantofelki. Za kolejnym dotknięciem magicznej różdżki proso zostało oddzielone od maku, leżąca na stole dynia przemieniła się we wspaniałą karetę, a myszy w zaprzęg.

– A teraz na bal! – zawołała
do oniemiałej z zachwytu
dziewczyny. – Pamiętaj jednak,
że musisz wrócić przed północą.
Potem czar pryśnie, a twoja
sukienka znów zamieni
się w łachmany.
Uradowany Kopciuszek pomknął
w stronę rozświetlonego pałacu.

Kiedy śliczna dziewczyna wkroczyła na salę balową, wokół zaległa cisza, a wszystkie oczy zwróciły się w jej kierunku. Książę natychmiast podbiegł do nieznajomej, ukłonił się i poprowadził ją na środek sali. Od tej chwili nie odstępował Kopciuszka na krok.

Oczarowani sobą tańczyli
i tańczyli, a macocha i jej
dwie brzydule zgrzytały
zębami z zazdrości.

Ani się spostrzegli, gdy nagle wybiła północ. Przerażony Kopciuszek wybiegł co tchu z pałacu. Zastukały na schodach czerwone pantofelki i dziewczyna zniknęła w ciemnościach.

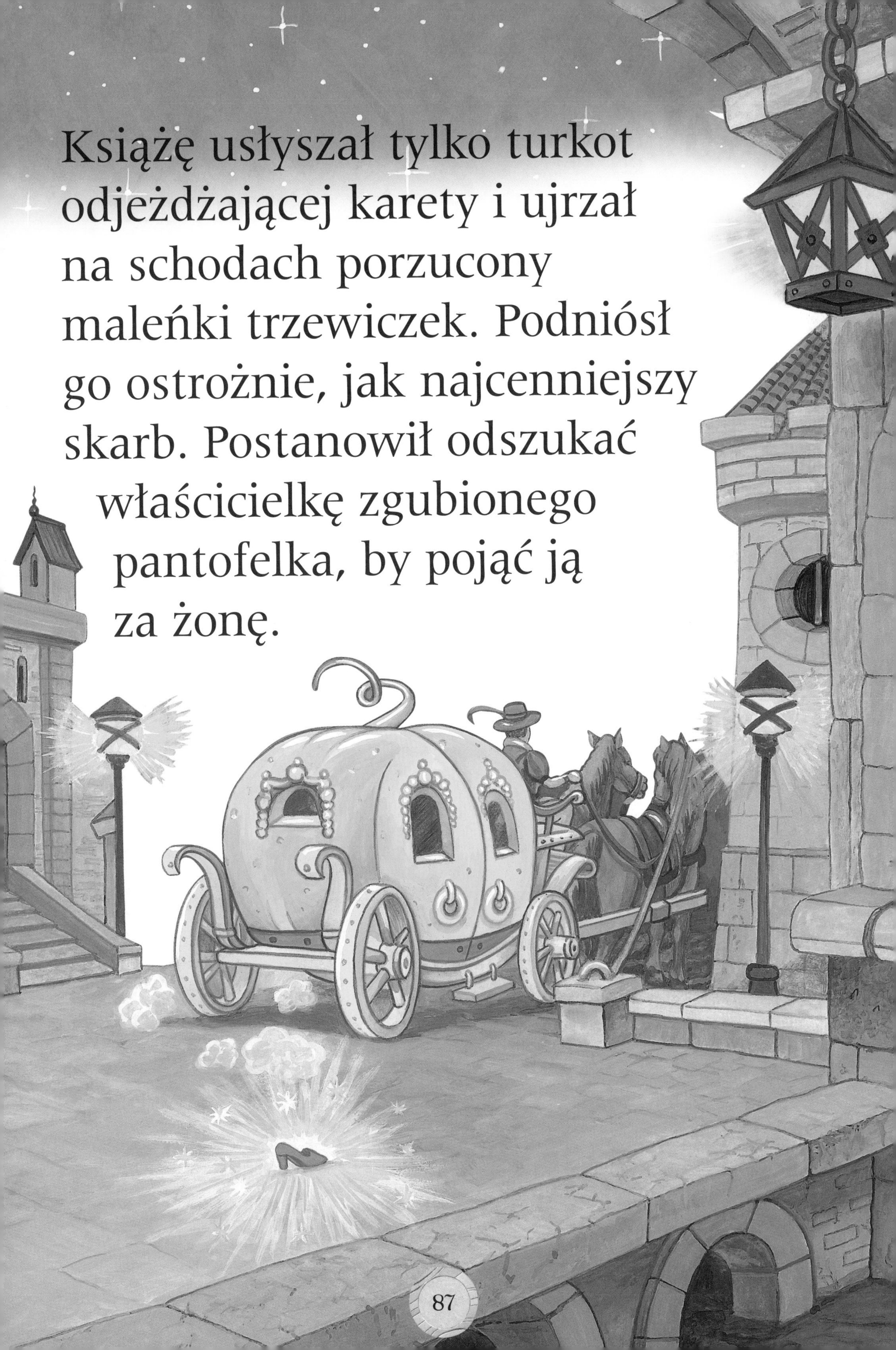

Książę usłyszał tylko turkot odjeżdżającej karety i ujrzał na schodach porzucony maleńki trzewiczek. Podniósł go ostrożnie, jak najcenniejszy skarb. Postanowił odszukać właścicielkę zgubionego pantofelka, by pojąć ją za żonę.

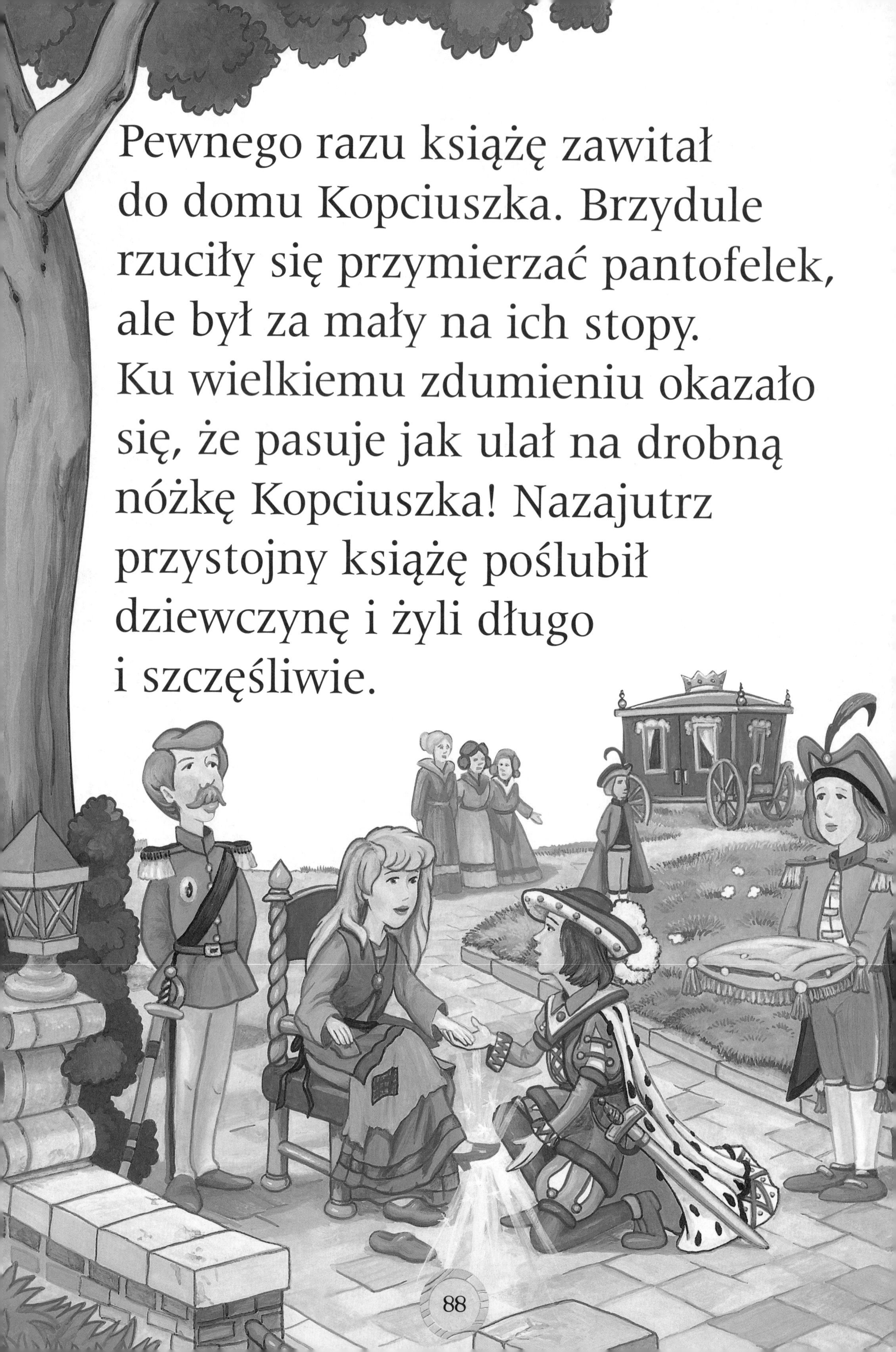

Pewnego razu książę zawitał do domu Kopciuszka. Brzydule rzuciły się przymierzać pantofelek, ale był za mały na ich stopy. Ku wielkiemu zdumieniu okazało się, że pasuje jak ulał na drobną nóżkę Kopciuszka! Nazajutrz przystojny książę poślubił dziewczynę i żyli długo i szczęśliwie.

Żuraw i lisica

W pewnej zielonej krainie, na skraju lasu, niedaleko bagiennych łąk, żyli sobie lisica i żuraw. Mieszkali blisko siebie, spotykali się na spacerach, kłaniali się sobie nawzajem.

Razu pewnego lisica postanowiła zaprosić żurawia na przyjęcie.

– Ach, mój drogi druhu długonogi, przyjdź do mnie na wieczerzę, zapraszam cię szczerze – przymilała się lisica.

Żuraw podziękował grzecznie, pokiwał dziobem i obiecał, że przyjdzie wieczorem. Wróciła lisica do domu. Gdy zaczęła gotować kolację, obudziła się w niej chciwość.

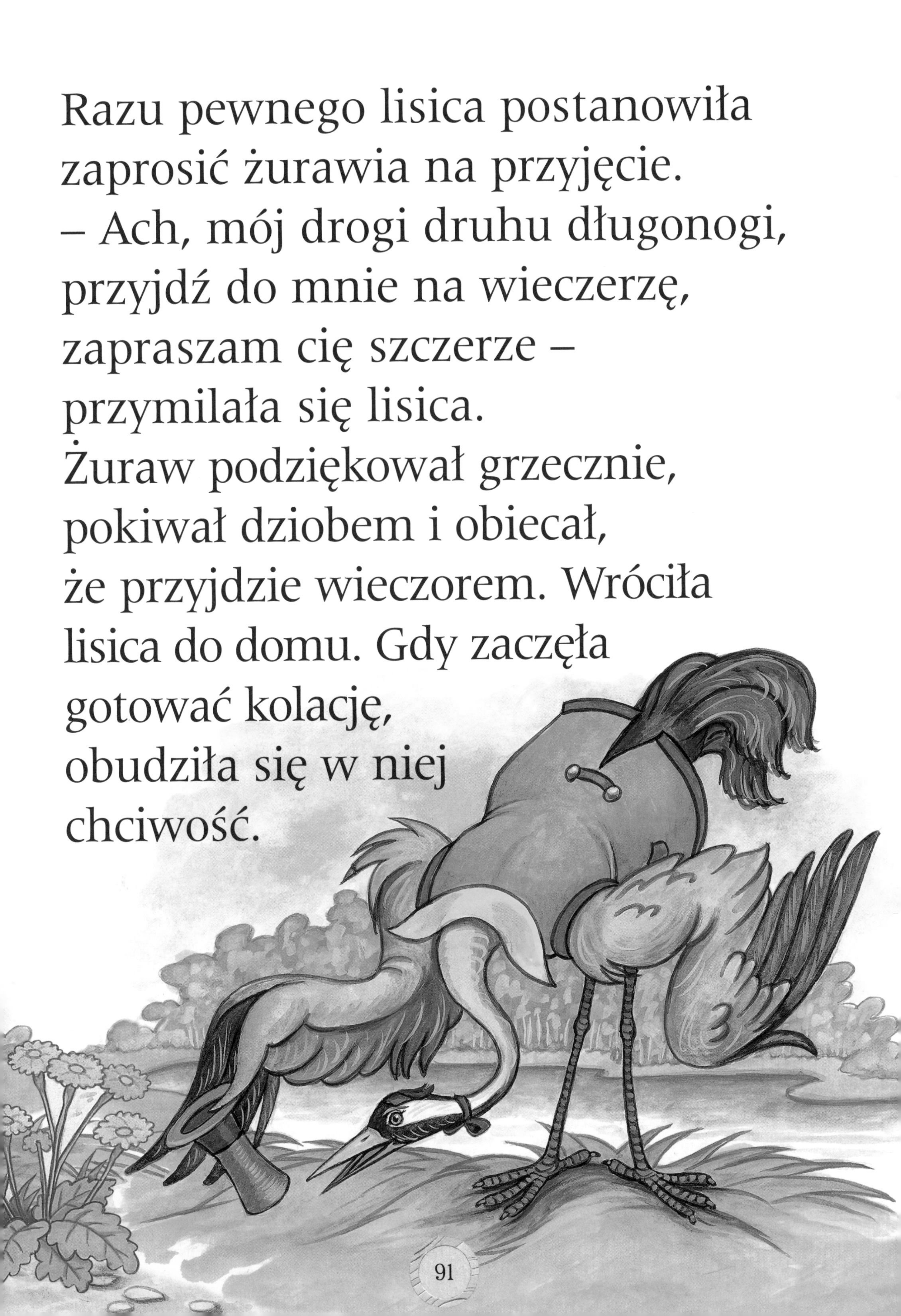

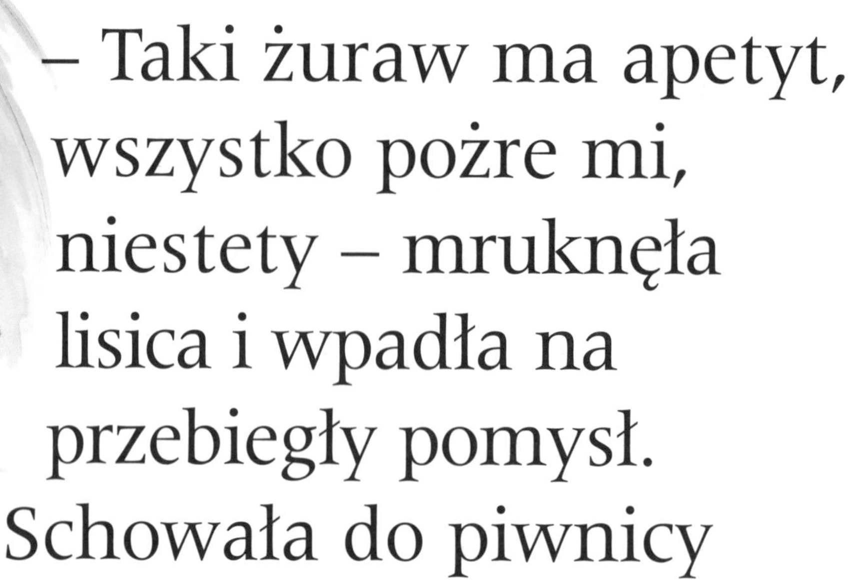

– Taki żuraw ma apetyt, wszystko pożre mi, niestety – mruknęła lisica i wpadła na przebiegły pomysł. Schowała do piwnicy przygotowane ryby, potrawkę z żabich udek i bliny z kawiorem. Zamiast tego nagotowała garnek kaszy.

Gorącą kaszę rozsypała
po wielkim, płaskim talerzu,
podśpiewując przy tym:
– Dobra nasza, dobra kasza,
tak żurawia chcę zapraszać!
Wtem rozległo się pukanie. To żuraw
stał przed drzwiami chatki.

Usadziła żurawia przy stole i przycupnęła naprzeciw niego.
– Chcę cię przyjąć godnie, siadaj tu wygodnie, dla gościa ważnego dam coś najlepszego! – zaprosiła lisica.
Spojrzał żuraw zdziwiony, ani naczyń, ani potraw, tylko jeden talerz z ziarnkami kaszy.

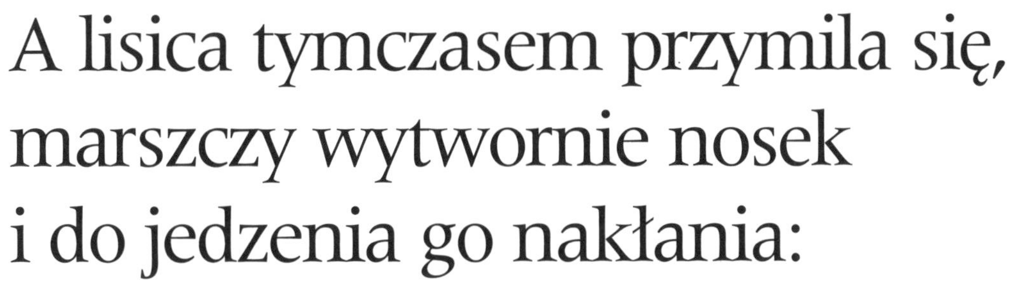

A lisica tymczasem przymila się,
marszczy wytwornie nosek
i do jedzenia go nakłania:
– Jedz, żurawiu, ile chcesz
i z talerza sobie bierz.
Żuraw uprzejmie stuku-puk,
stuku-puk dziobem po talerzu.
Ale niewiele końcem
dzioba zgarnąć
mógł, ot kilka
ziarenek
najwyżej.

A lisica jęzorem po talerzu zamiata: chlast w lewo, chlast w prawo! Aż wylizała talerz do czysta.

– Tyle dałam, ile miałam, czy kolacja smakowała? – spytała lisica.

Piękny ptak łypnął na nią złym okiem, ale uprzejmie odpowiedział:

– Dzięki ci ogromnie, przyjdź ty jutro do mnie.

Nazajutrz lisica wystroiła się paradnie, czysty czepiec na głowę włożyła, spódnicę odświętną, korale czerwone.
– A to mi się dobrze sprawia, podjem sobie u żurawia – podśpiewywała sobie.
W domku żurawia czekała na nią niespodzianka.

Ptak uszykował pyszny chłodnik, pachnący świeżym ogórkiem, koperkiem i rybimi ogonkami. Ale cóż, na stole tylko jedno naczynie stoi: wysoki dzban o wąskiej szyjce.

– Gdzie przyjaciół dwoje siada, to z jednego garnka jada – zachęcił lisicę żuraw.

Próbowała lisica pysk do dzbana zmieścić, by językiem chłodnika dosięgnąć, lecz przez smukłą szyjkę naczynia ledwo zapach powąchała. A tymczasem żuraw raz po raz dziób długi w dzbanie zanurzał i spokojnie chłodnik wyjadał.

Lisicy z głodu potężnie w brzuchu burczało, gdy najedzony żuraw otarł dziób serwetką i zapytał:

– Ach, lisiczko, muszę spytać, czyś najadła się do syta?

Lisica nic nie rzekła, tylko zerwała się od stołu i wściekła pobiegła do swej nory. Po tych odwiedzinach przestała się kłaniać żurawiowi, a i on też jakby mniej lisiczkę zauważał. A starzy bajarze od tej pory powiadają: „Skąpstwo się nie opłaci, bo ktoś kiedyś nim odpłaci".

Królewna Śnieżka

Dawno, dawno temu przyszła na świat śliczna dziewczynka. Włosy miała czarne jak heban, cerę białą jak mleko, oczy błękitne jak niezapominajki, a usta czerwone jak krew. Nazwano ją Śnieżką. Matka – piękna i dobra królowa – wkrótce rozchorowała się i umarła.

Gdy minęło kilka lat, król ożenił się ponownie. Macocha była jednak kobietą złą i próżną. Uważała, że jest najładniejsza na świecie. Ale któregoś dnia czarodziejskie lusterko oznajmiło władczyni, że najpiękniejsza jest jej pasierbica.

Zawistna macocha wpadła w złość. Wezwała nadwornego myśliwego i rozkazała mu, aby zaprowadził Śnieżkę do lasu i zabił.

– Na dowód, że wykonałeś zadanie, przyniesiesz mi jutro jej serce – dodała. – W przeciwnym razie sam stracisz głowę!

Myśliwy był dobrym i litościwym człowiekiem. Choć bał się o własną skórę, zostawił dziewczynkę na polanie, a królowej zaniósł serce upolowanego w lesie zająca.

Śnieżka długo błądziła
w gęstwinie drzew.
Wtem dostrzegła w oddali
nikłe światełko. Gdy
podeszła bliżej, ujrzała
niewielki domek.

Mieszkało w nim siedmiu przemiłych krasnali, którzy codziennie, od świtu do nocy, ciężko pracowali w kopalni.

Królewna natychmiast się z nimi zaprzyjaźniła.

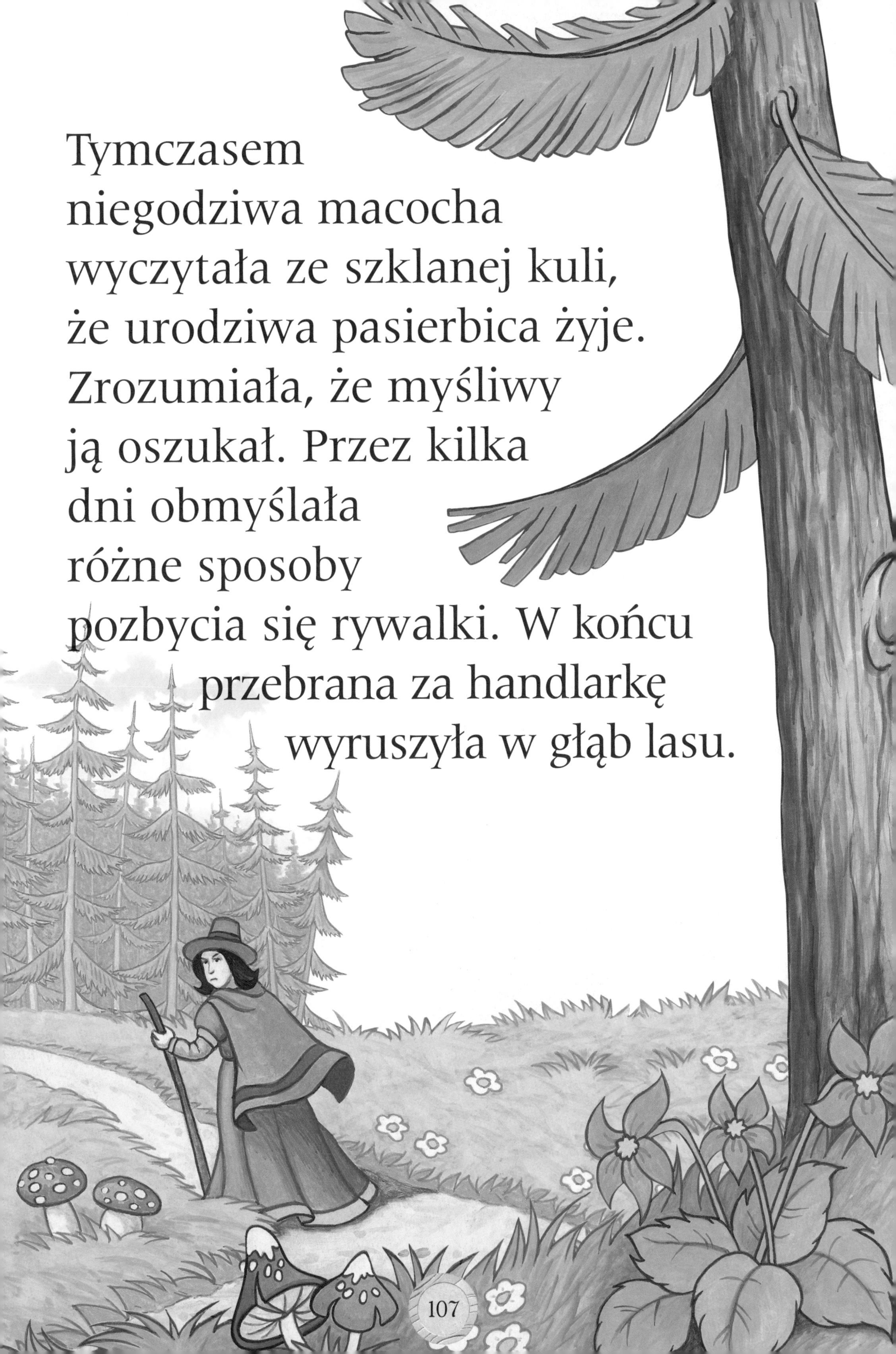

Tymczasem niegodziwa macocha wyczytała ze szklanej kuli, że urodziwa pasierbica żyje. Zrozumiała, że myśliwy ją oszukał. Przez kilka dni obmyślała różne sposoby pozbycia się rywalki. W końcu przebrana za handlarkę wyruszyła w głąb lasu.

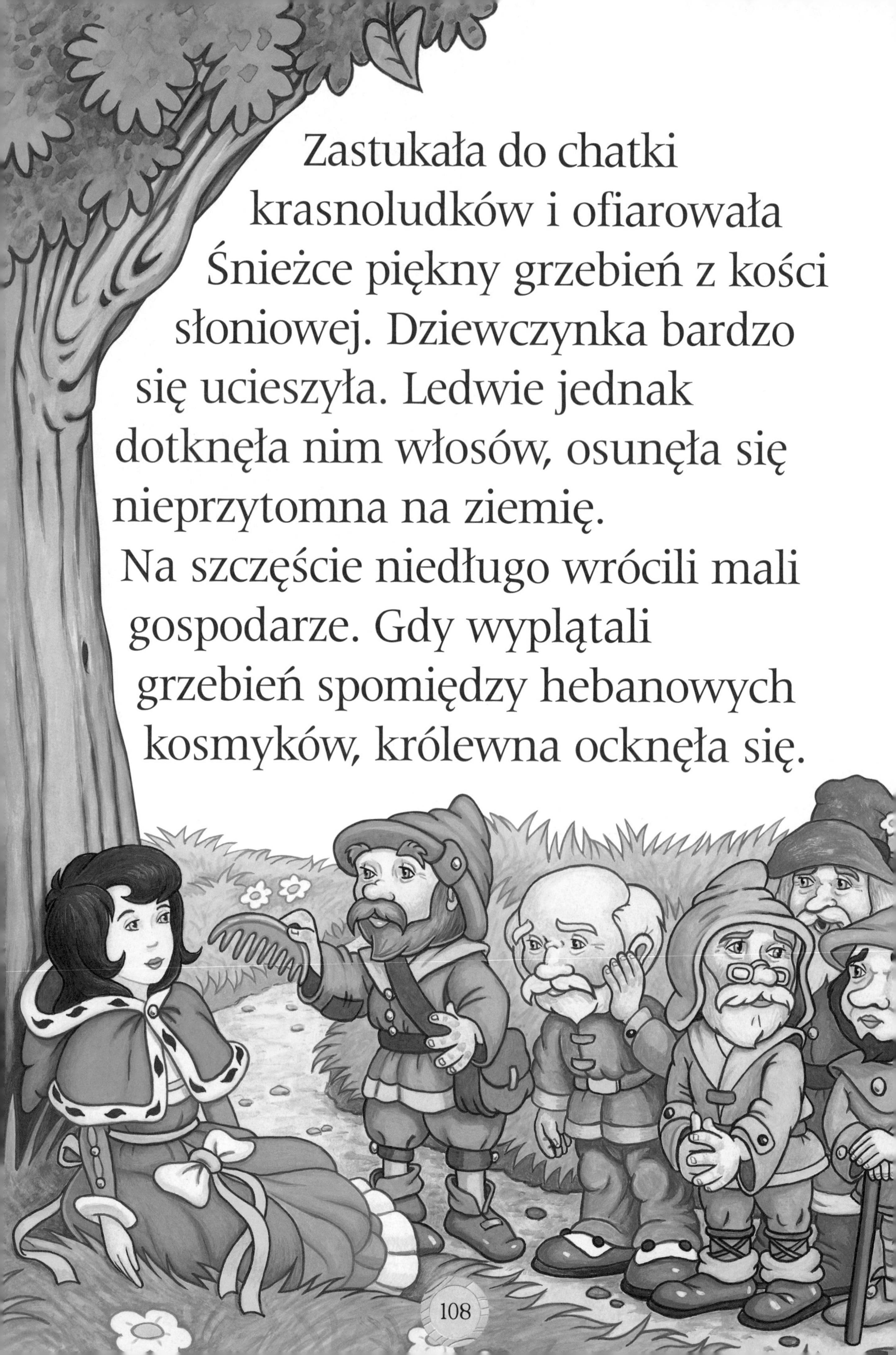

Zastukała do chatki krasnoludków i ofiarowała Śnieżce piękny grzebień z kości słoniowej. Dziewczynka bardzo się ucieszyła. Ledwie jednak dotknęła nim włosów, osunęła się nieprzytomna na ziemię. Na szczęście niedługo wrócili mali gospodarze. Gdy wyplątali grzebień spomiędzy hebanowych kosmyków, królewna ocknęła się.

– To z pewnością sprawka macochy – twierdziły zgodnie krasnale. – Kiedy nie ma nas w domu, nikomu nie otwieraj drzwi i z nikim nie rozmawiaj. Królowa może tu wrócić.
Krasnoludki nie myliły się.
Magiczne zwierciadło oświadczyło tymczasem macosze, że Śnieżka nadal jest od niej piękniejsza.
Tym razem zła królowa przedzierzgnęła się w wieśniaczkę.
Wzięła koszyk pełen rumianych owoców i wyruszyła na polanę.

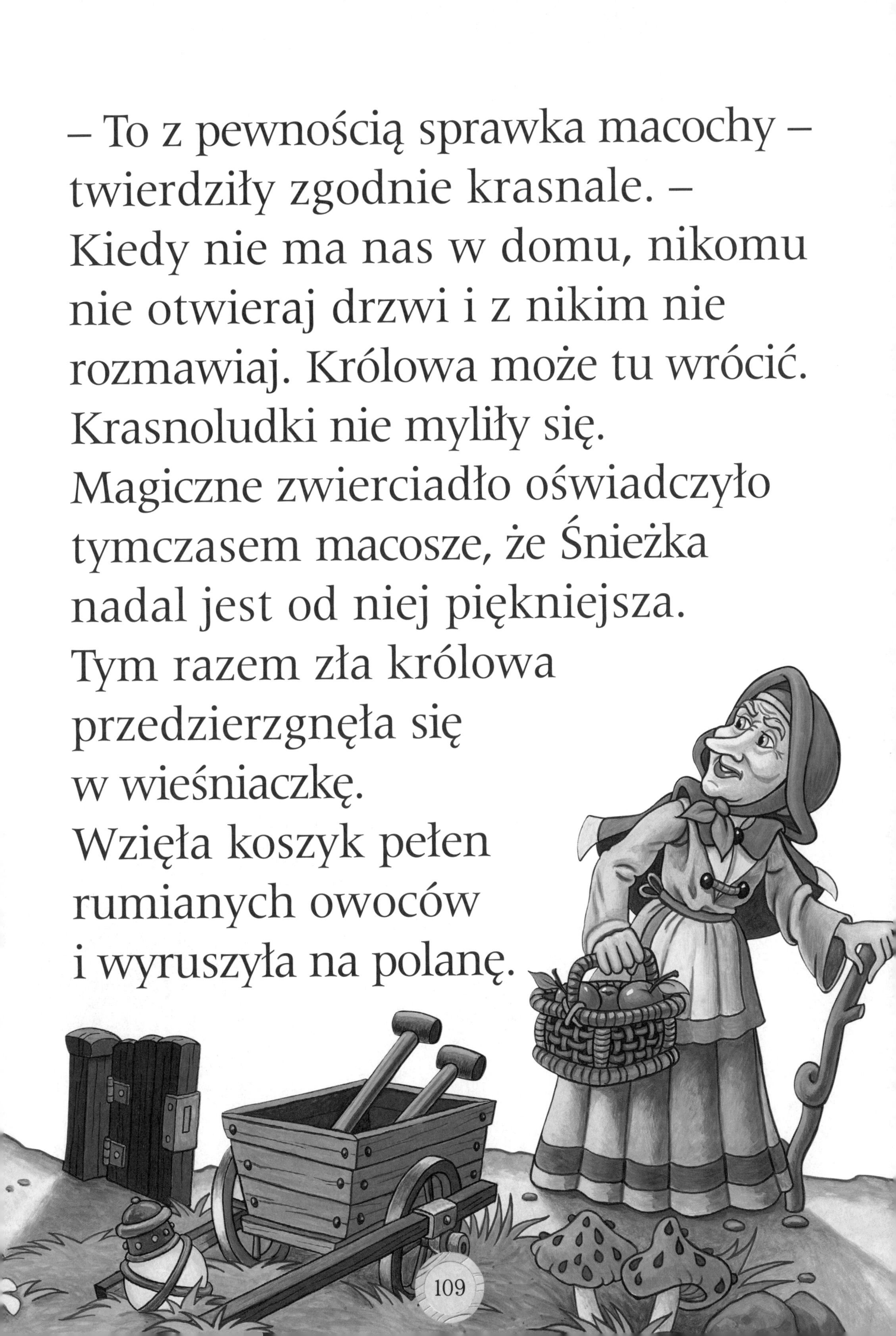

Gdy zastukała do drzwi maleńkiego domku, dziewczynka, nie zważając na przestrogi przyjaciół, wyjrzała na zewnątrz. Wówczas staruszka poczęstowała ją zatrutym jabłkiem. Śnieżka podziękowała i ugryzła kawałek. Natychmiast padła bez życia na ziemię.

Rozpacz krasnali nie miała granic, gdy, wróciwszy wieczorem do domu, zastały królewnę martwą. Nie potrafiły przywrócić Śnieżki do życia i nie mogły się z nią rozstać. W końcu złożyły dziewczynę w kryształowej trumnie i zaniosły na porośnięte bujnymi kwiatami wzgórze. Postanowiły czuwać przy niej na zmianę.

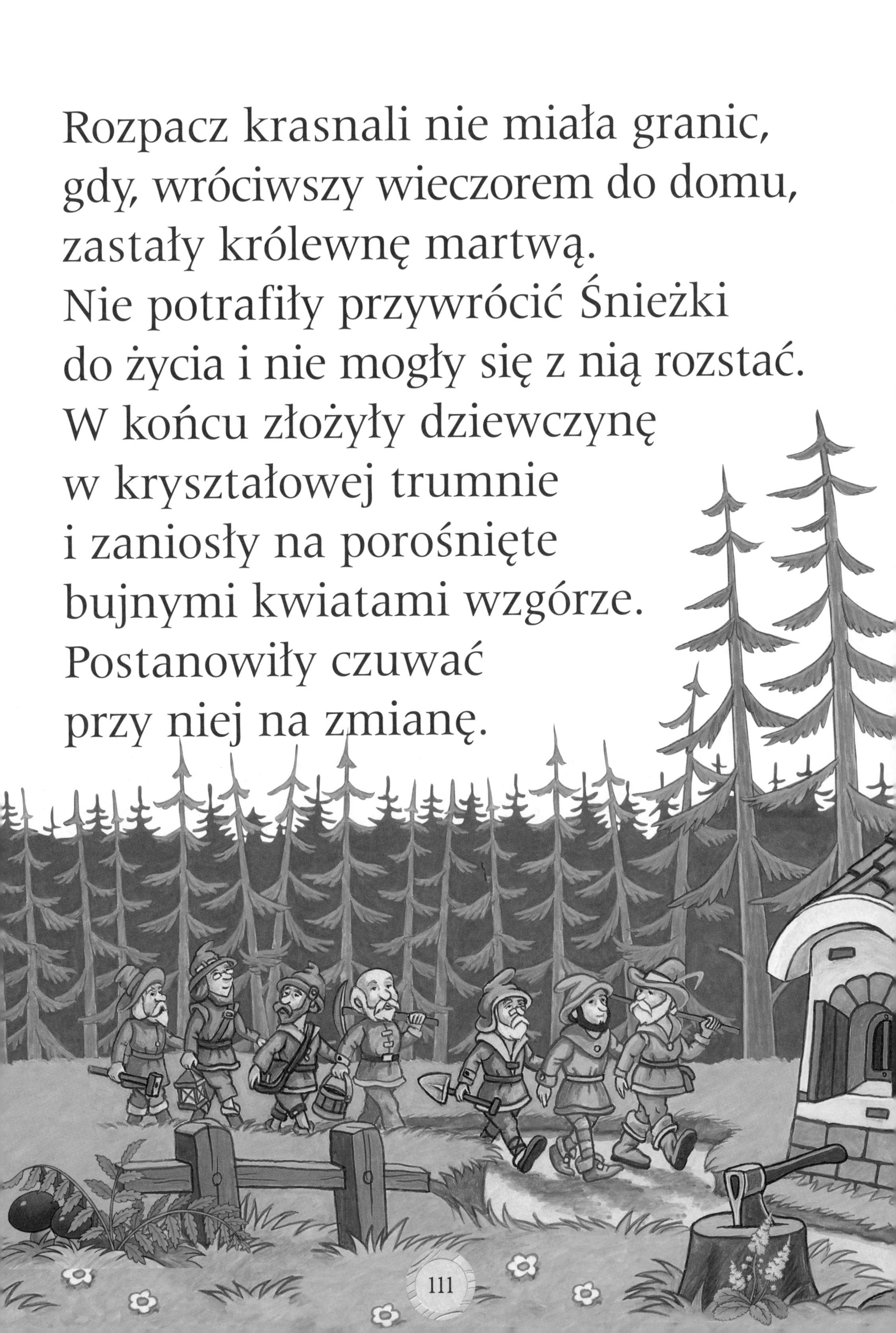

Pewnego razu przejeżdżał tamtędy młody książę. Zapragnął ujrzeć królewnę z bliska. Gdy krasnoludki podniosły trumnę, jeden z malców potknął się, a wówczas kawałek zatrutego jabłka wypadł z ust Śnieżki. Oczarowany urodą dziewczyny, książę schylił się i pocałował ją. Wkrótce pojął królewnę za żonę i żyli długo i szczęśliwie.

Królowa Śniegu

W pewnym mieście mieszkali chłopiec i dziewczynka – Kay i Gerda. I choć nie byli rodzeństwem, bardzo się kochali.

Kiedyś babka opowiedziała im historię o Królowej Śniegu:

– Jest wyniosła i zimna jak lód. Przybywa wraz z zimą. Niekiedy zagląda do okien i kreśli na szybach tajemnicze wzorki.

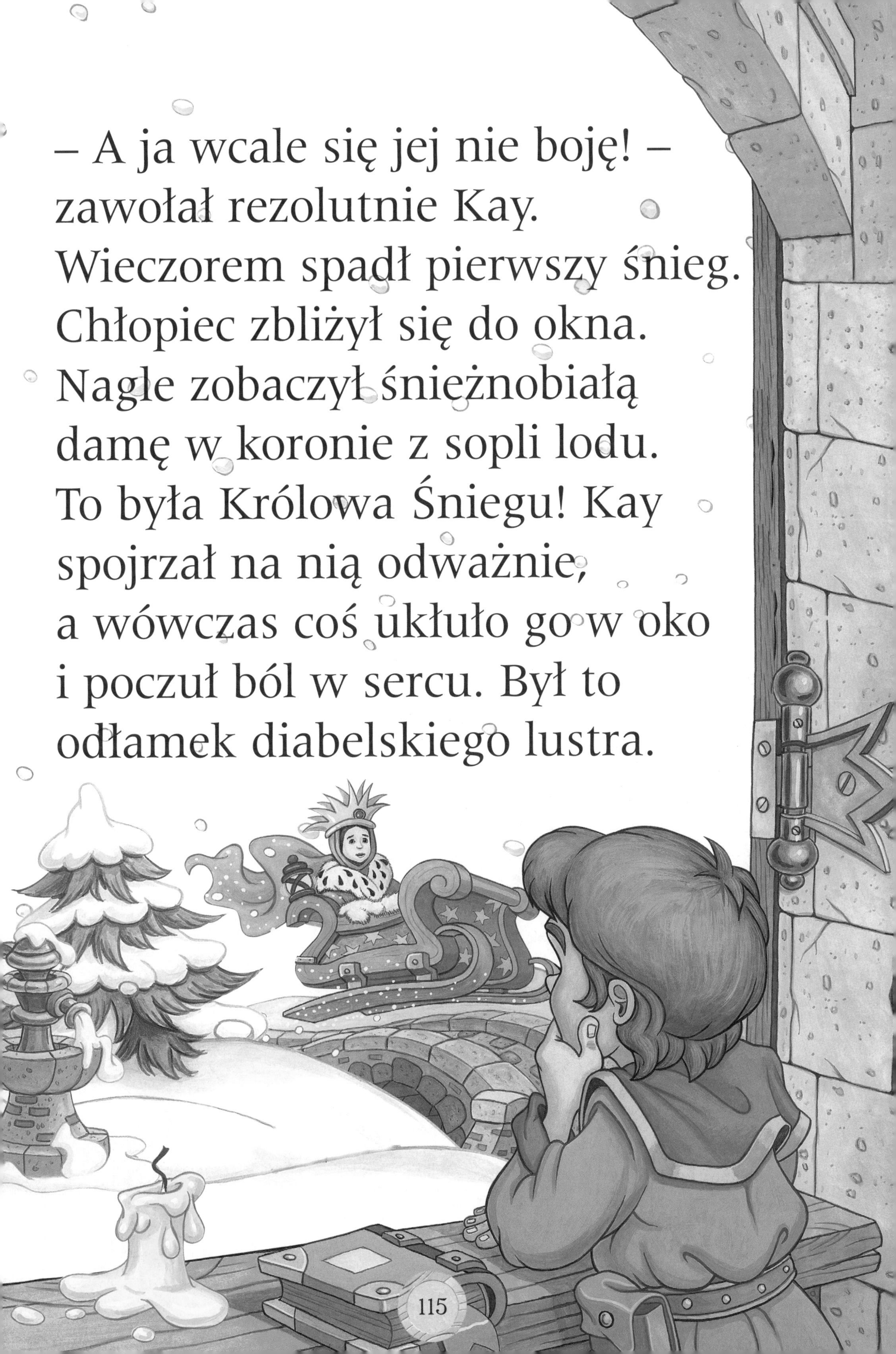

– A ja wcale się jej nie boję! – zawołał rezolutnie Kay. Wieczorem spadł pierwszy śnieg. Chłopiec zbliżył się do okna. Nagle zobaczył śnieżnobiałą damę w koronie z sopli lodu. To była Królowa Śniegu! Kay spojrzał na nią odważnie, a wówczas coś ukłuło go w oko i poczuł ból w sercu. Był to odłamek diabelskiego lustra.

Odtąd widział wszystko jak w krzywym zwierciadle. To, co dobre, wydało mu się teraz głupie i śmieszne, stał się złośliwy i zarozumiały. Nie chciał już bawić się z Gerdą, która była z tego powodu strasznie smutna.

Pewnego dnia chłopiec wziął sanki i pobiegł na wielki plac. Dostrzegł ogromne, białe sanie i przywiązał do nich swoje saneczki. Zaprzęg pomknął poza miasto. W końcu przystanął, a z białych sań wychyliła się… Królowa Śniegu. Zaprosiła Kaya do siebie. Gdy pocałowała go w czoło, zapomniał o Gerdzie i babce. Popędzili dalej, do krainy wiecznego śniegu.

Gerda wyruszyła na poszukiwanie przyjaciela. Szła i szła, ale o chłopcu wszelki słuch zaginął. Któregoś dnia napotkała wielką, czarną wronę.

– Chyba widziałam twojego Kaya – powiedział ptak i zaprowadził Gerdę do pobliskiego zamku.

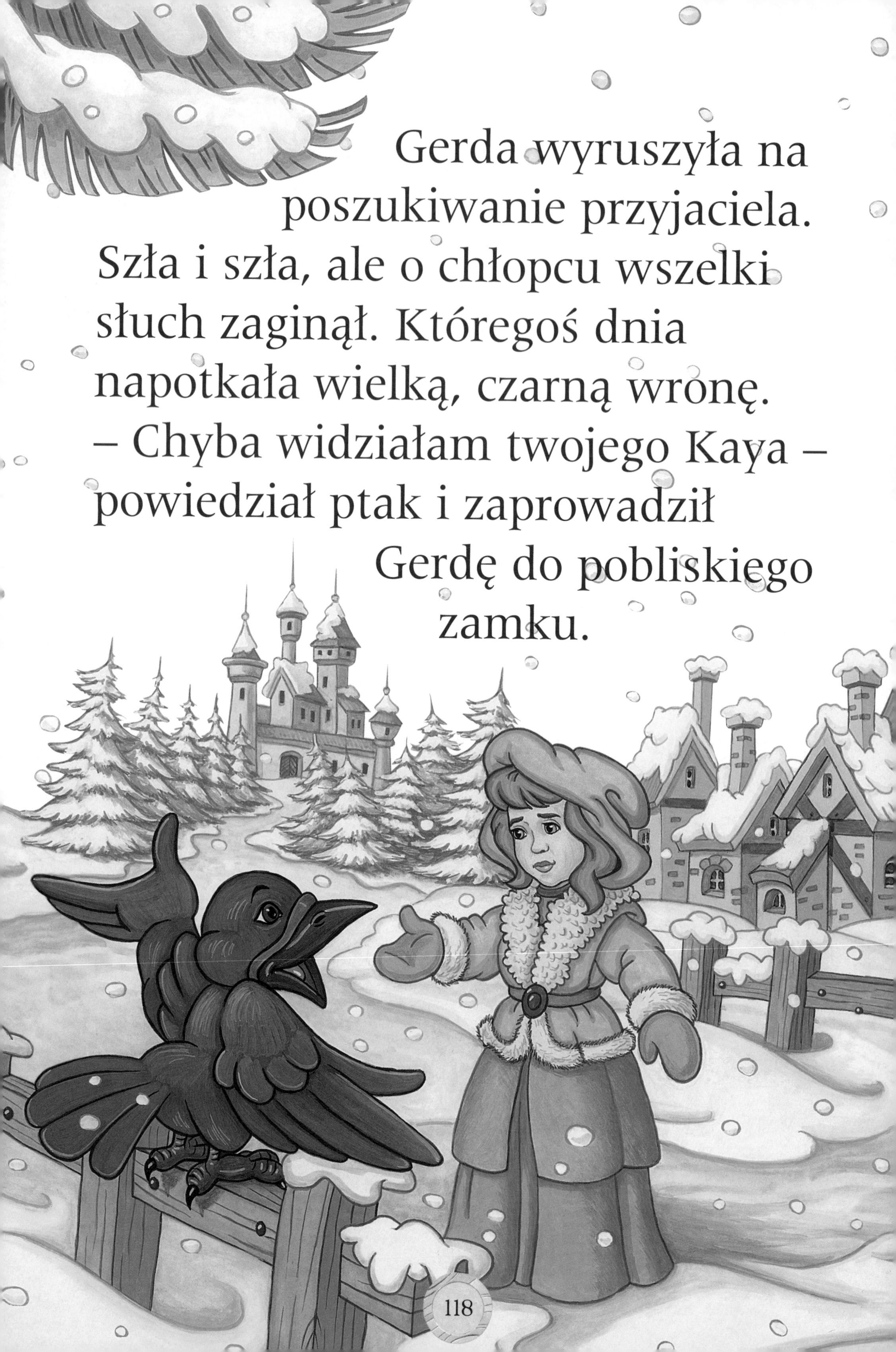

Mieszkający tam młodzieniec nie był jednak Kayem, lecz księciem. On i księżniczka okazali się bardzo mili i gościnni. Podarowali Gerdzie ciepłe buty, płaszczyk i złocistą karetę. Dziewczynka pojechała dalej.

W lesie na karetę napadli zbójcy. Gerdę uratowała jednak córka herszta bandy. Mała rozbójniczka zapragnęła mieć koleżankę, z którą mogłaby się bawić. Słuchając smutnej opowieści Gerdy, bardzo się wzruszyła.

– Pomogę ci – powiedziała. – Weź mojego renifera.

I wyprawiła Gerdę w dalszą drogę.
Mądry renifer gnał co tchu na północ.
W pewnej chwili zatrzymał się.
– Dalej musisz iść sama. Mnie
nie wolno przekraczać granicy
lodowego królestwa –
powiedział.
Gerda pożegnała go
i ruszyła przed
siebie.

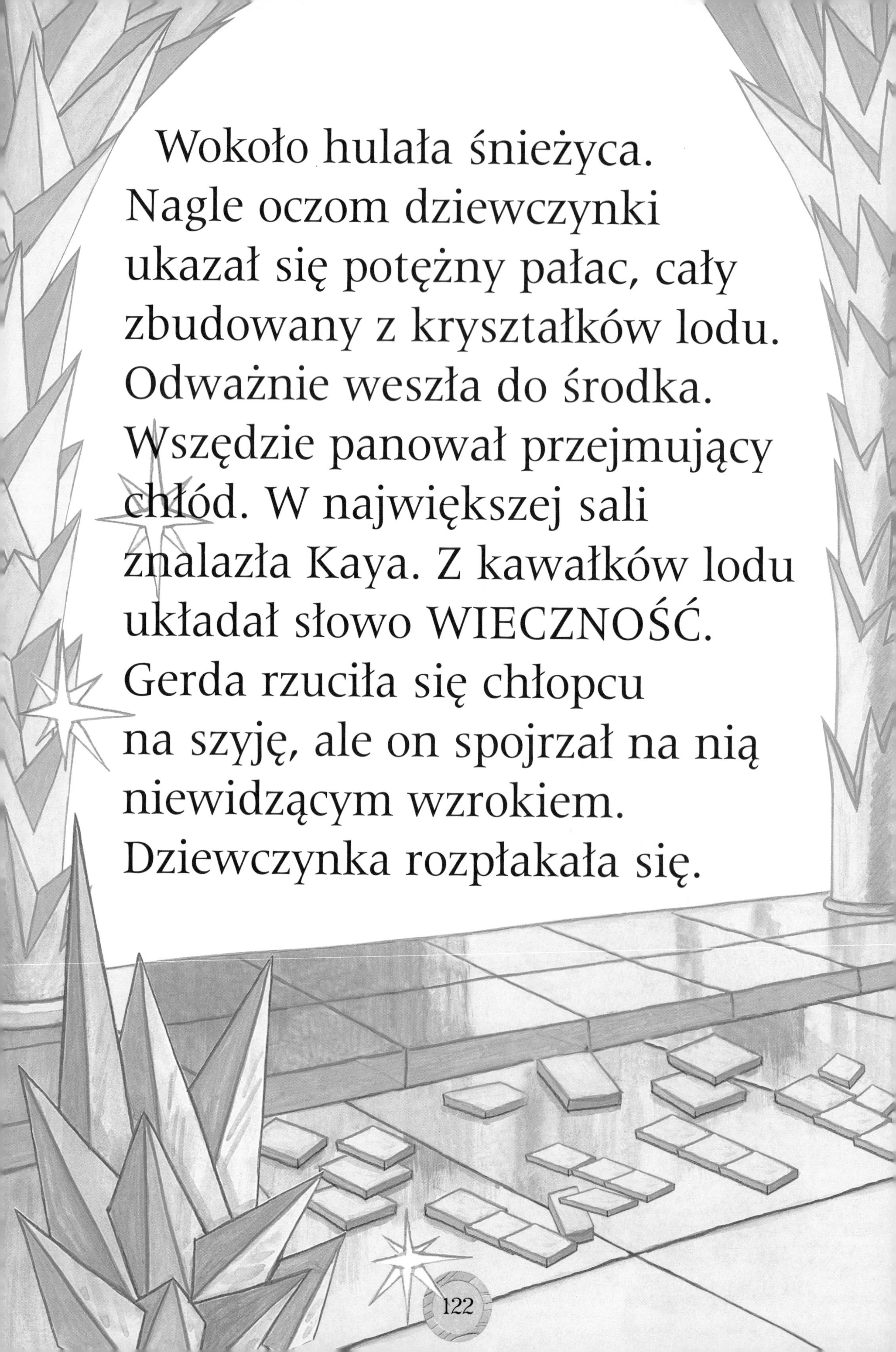

Wokoło hulała śnieżyca. Nagle oczom dziewczynki ukazał się potężny pałac, cały zbudowany z kryształków lodu. Odważnie weszła do środka. Wszędzie panował przejmujący chłód. W największej sali znalazła Kaya. Z kawałków lodu układał słowo WIECZNOŚĆ. Gerda rzuciła się chłopcu na szyję, ale on spojrzał na nią niewidzącym wzrokiem. Dziewczynka rozpłakała się.

Gorące łzy roztopiły lód
w sercu Kaya.
– Kochana Gerda! – szepnął
ze łzami w oczach, a płacząc,
pozbył się tkwiącego pod
powieką odłamka
diabelskiego lustra.

Teraz Królowa
Śniegu nie mogła
im już zagrozić.
Szybko wrócili
do domu, gdzie
czekała na nich
stroskana babka.
Radości wszystkich
nie było końca.

Mała syrenka

Dawno temu na dnie morza mieszkały piękne syreny. Baraszkując wesoło pod wodą, zastanawiały się często, jak wygląda życie na lądzie. Dopiero jednak po ukończeniu piętnastu lat mogły się wynurzyć na powierzchnię.

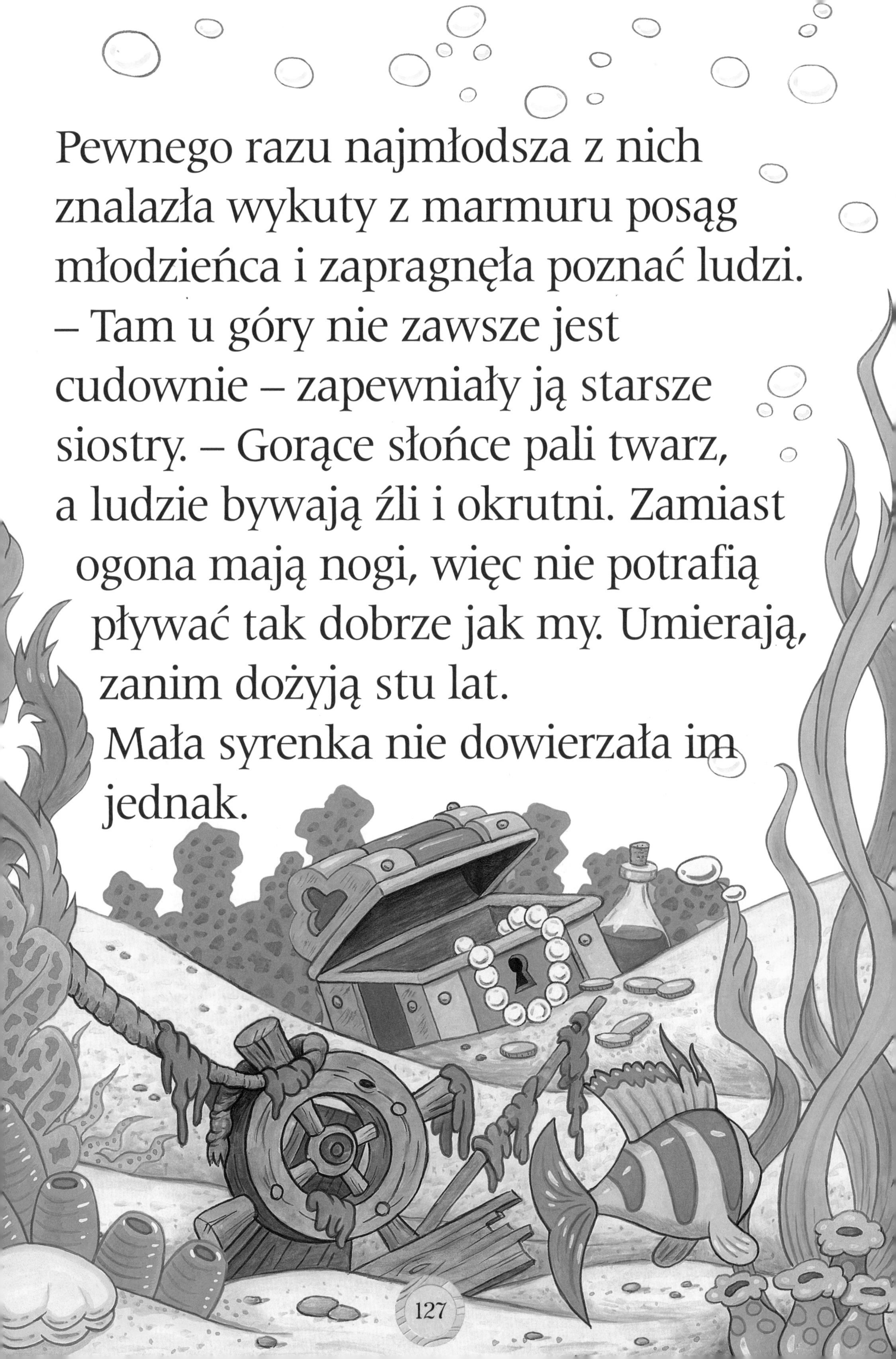

Pewnego razu najmłodsza z nich znalazła wykuty z marmuru posąg młodzieńca i zapragnęła poznać ludzi.
– Tam u góry nie zawsze jest cudownie – zapewniały ją starsze siostry. – Gorące słońce pali twarz, a ludzie bywają źli i okrutni. Zamiast ogona mają nogi, więc nie potrafią pływać tak dobrze jak my. Umierają, zanim dożyją stu lat.
Mała syrenka nie dowierzała im jednak.

Gdy nadszedł wreszcie dzień jej piętnastych urodzin, wymknęła się z bursztynowego pałacu i wypłynęła na powierzchnię. Siedząc na jednej z przybrzeżnych skał, z zachwytem przyglądała się nieznanemu światu. W dali dojrzała wspaniały zamek z różowego piaskowca.

W pewnej chwili na morzu pojawił się okazały żaglowiec. Syrenka popłynęła za nim, z ciekawością obserwując zgromadzonych na pokładzie ludzi. Wszyscy wiwatowali na cześć młodego księcia, który obchodził właśnie urodziny. Syrence wydawało się, że to jego posążek znalazła we wraku zatopionego statku.

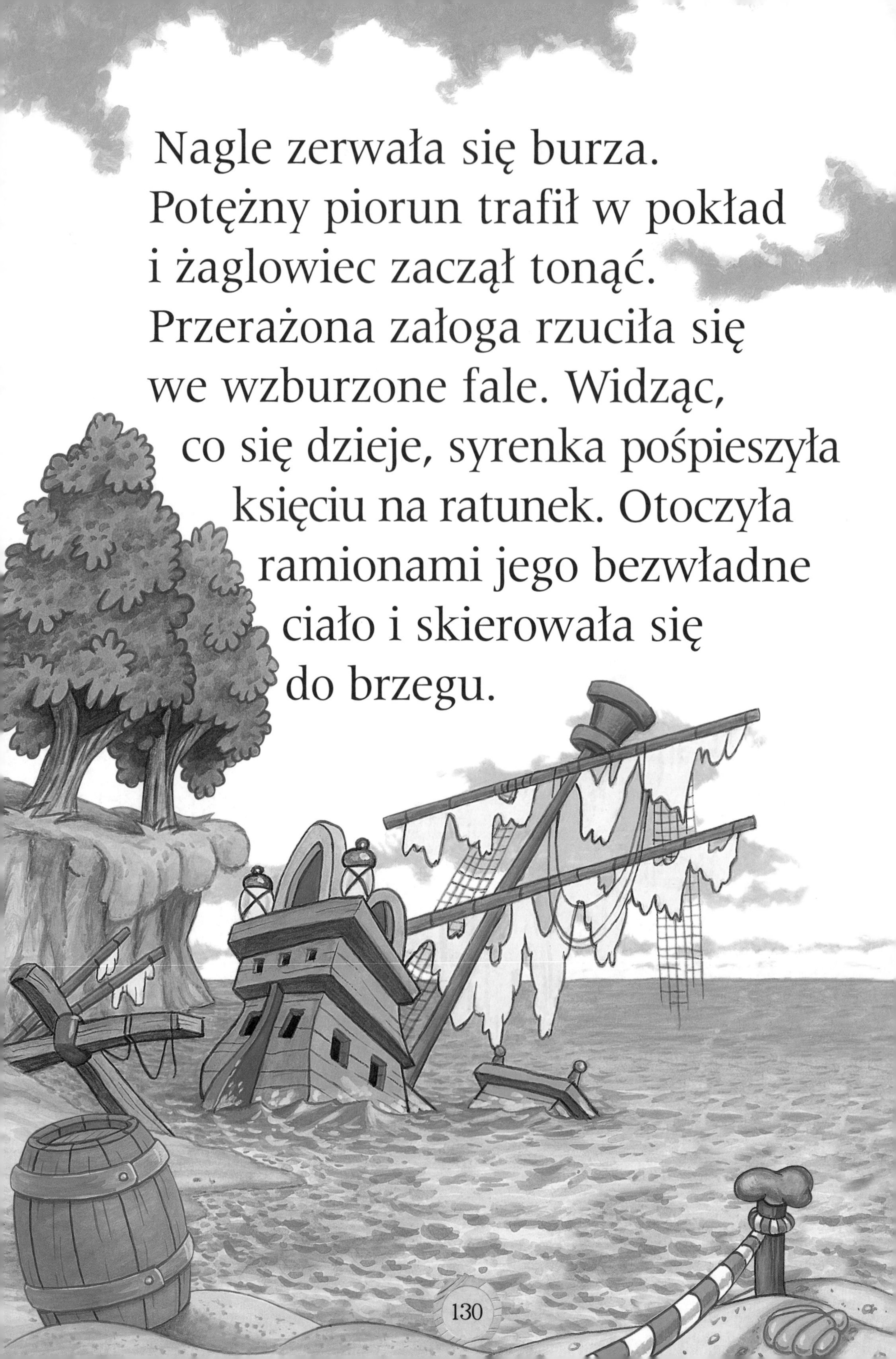

Nagle zerwała się burza. Potężny piorun trafił w pokład i żaglowiec zaczął tonąć. Przerażona załoga rzuciła się we wzburzone fale. Widząc, co się dzieje, syrenka pośpieszyła księciu na ratunek. Otoczyła ramionami jego bezwładne ciało i skierowała się do brzegu.

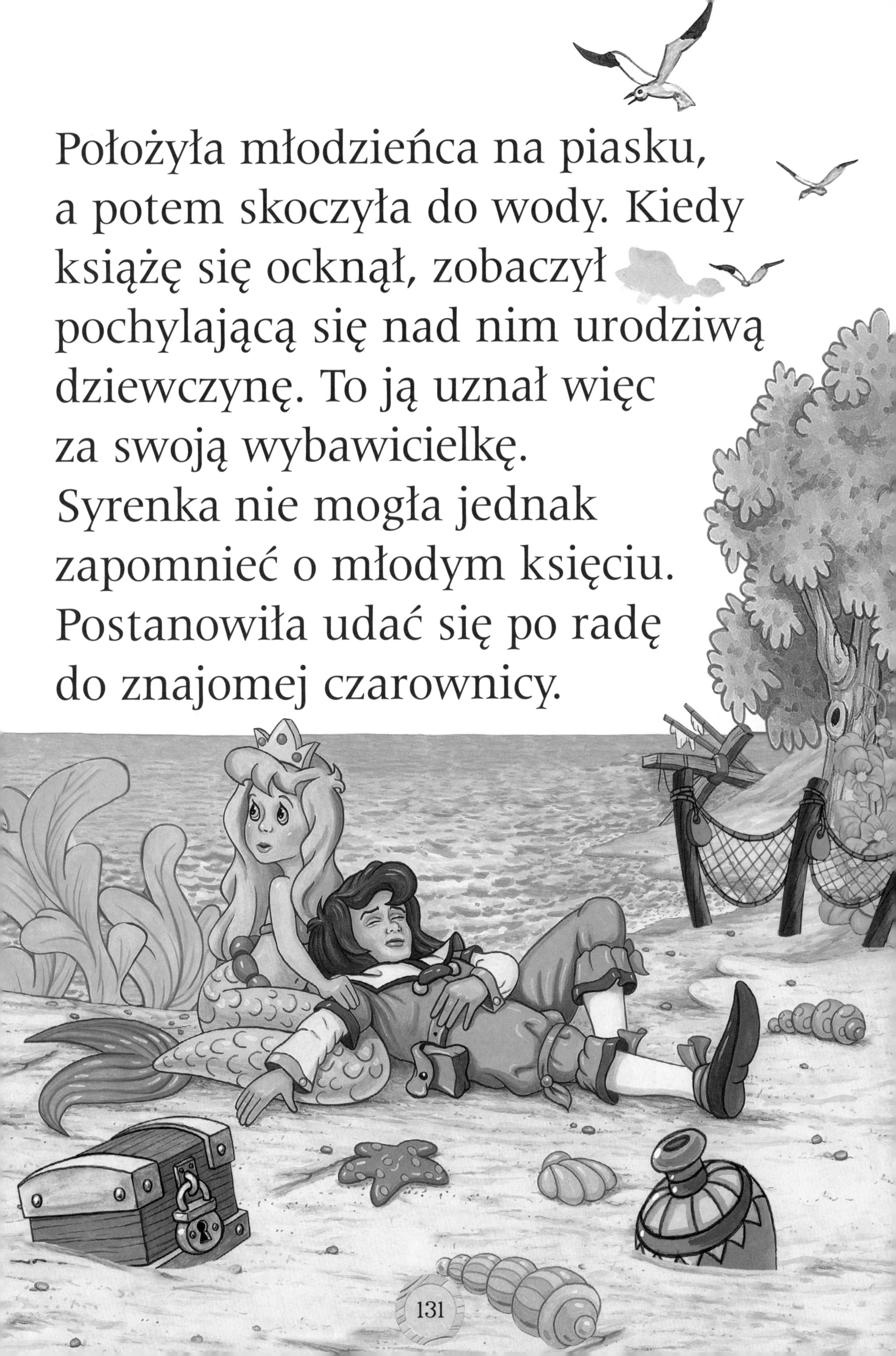

Położyła młodzieńca na piasku, a potem skoczyła do wody. Kiedy książę się ocknął, zobaczył pochylającą się nad nim urodziwą dziewczynę. To ją uznał więc za swoją wybawicielkę. Syrenka nie mogła jednak zapomnieć o młodym księciu. Postanowiła udać się po radę do znajomej czarownicy.

– Cóż, jeśli naprawdę tego pragniesz, podaruję ci nogi i pozbawię ogona. Musisz mi za to oddać swój piękny głos. Pamiętaj także, że utracisz nieśmiertelność, a każdy krok będzie ci sprawiał ból.

Jeśli książę nie odwzajemni twej miłości i ożeni się z inną, zamienisz się w morską pianę – powiedziała starucha, sięgając po buteleczkę z czarodziejskim napojem. Syrenka wypiła łyk i natychmiast zapadła w sen. Kiedy się obudziła, ujrzała obok siebie przystojnego księcia.

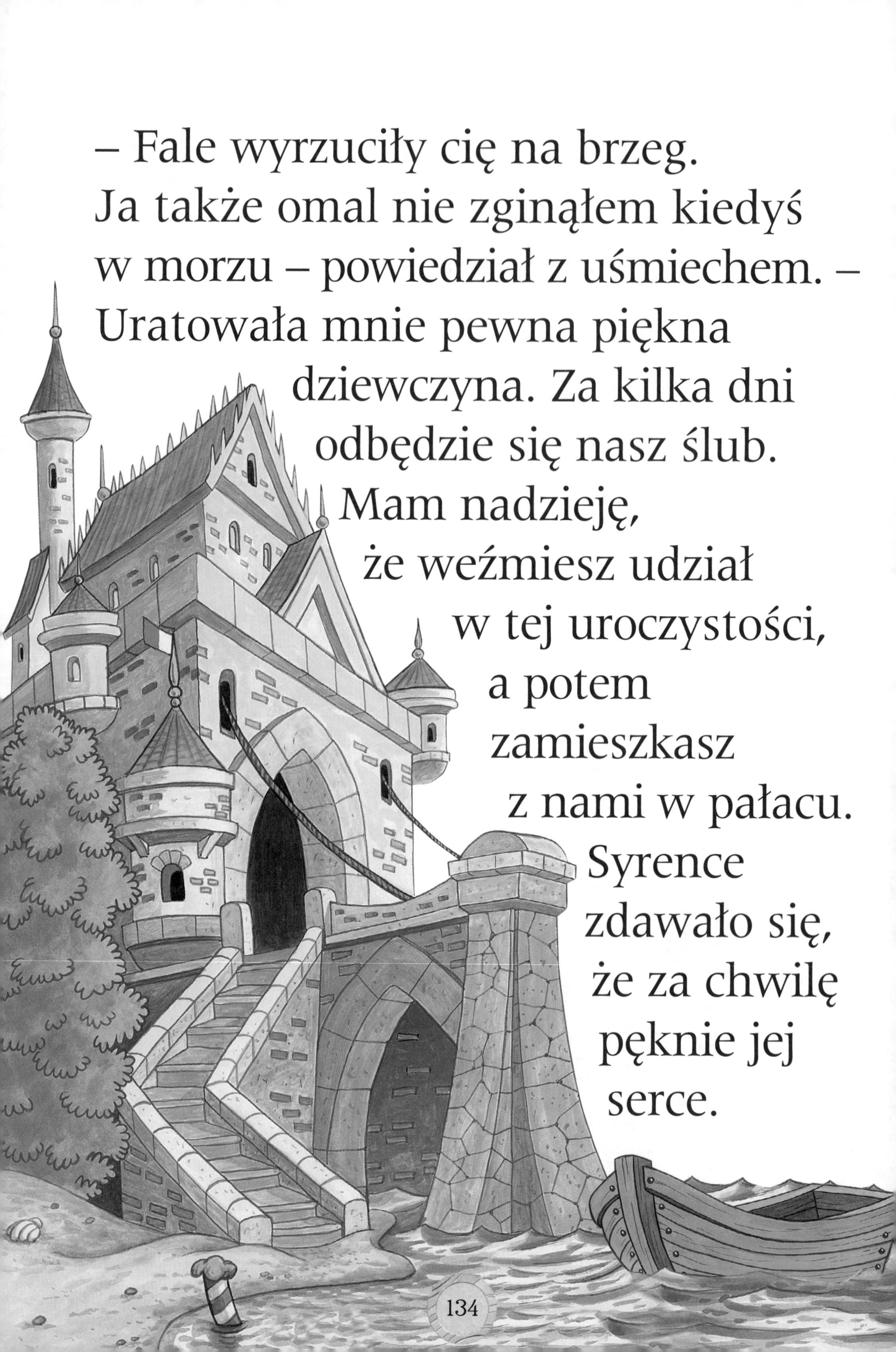

– Fale wyrzuciły cię na brzeg. Ja także omal nie zginąłem kiedyś w morzu – powiedział z uśmiechem. – Uratowała mnie pewna piękna dziewczyna. Za kilka dni odbędzie się nasz ślub. Mam nadzieję, że weźmiesz udział w tej uroczystości, a potem zamieszkasz z nami w pałacu.

Syrence zdawało się, że za chwilę pęknie jej serce.

Po weselu, które odbyło się na statku, wyszła na opustoszały pokład i wybuchnęła płaczem. Słysząc jej szlochanie, z fal wynurzyły się siostry.

– Zabij księcia, a odzyskasz swój ogon i będziesz mogła wrócić do podwodnego królestwa – poradziły.

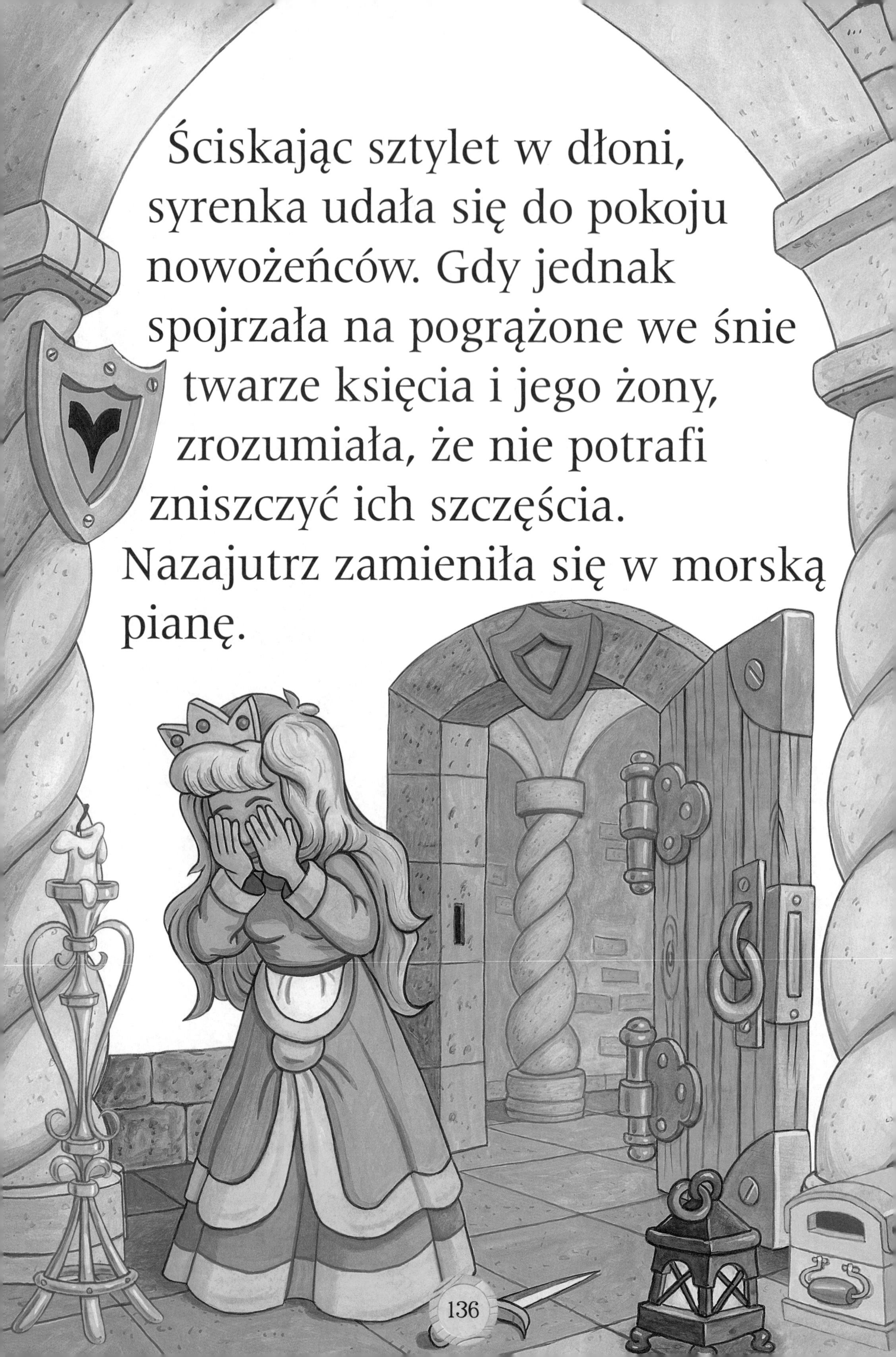

Ściskając sztylet w dłoni, syrenka udała się do pokoju nowożeńców. Gdy jednak spojrzała na pogrążone we śnie twarze księcia i jego żony, zrozumiała, że nie potrafi zniszczyć ich szczęścia. Nazajutrz zamieniła się w morską pianę.

Nowe szaty cesarza

Pewien cesarz uwielbiał się stroić. W jego pałacu było mnóstwo pękatych szaf i ogromnych luster. Władca całe dnie spędzał na przymierzaniu kosztownych szat, zaniedbując przy tym ważne sprawy państwowe.

Któregoś dnia na zamku pojawili się dwaj cudzoziemcy. Obiecali uszyć mu niezwykły strój z własnoręcznie utkanej materii.

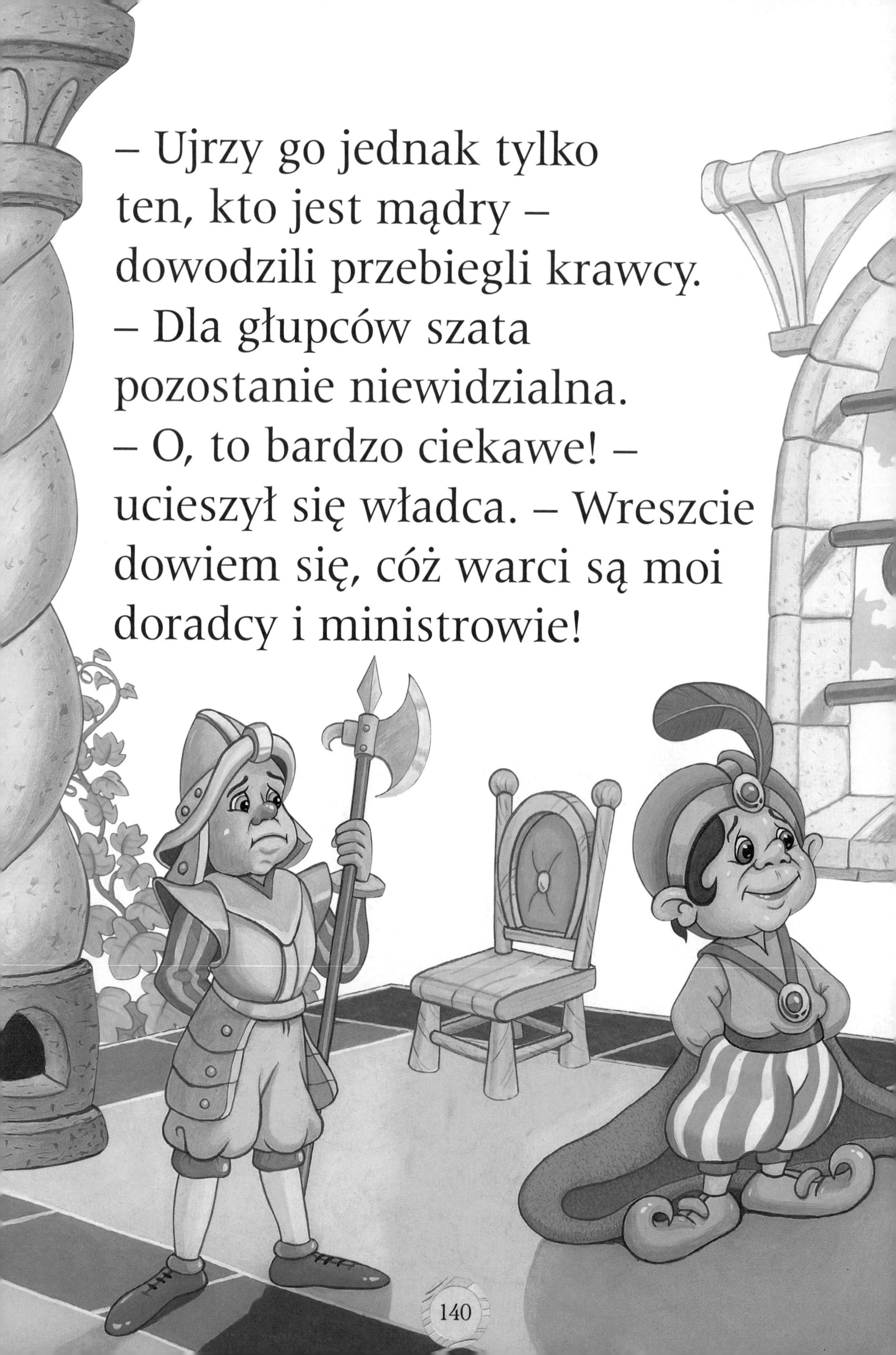

– Ujrzy go jednak tylko ten, kto jest mądry – dowodzili przebiegli krawcy. – Dla głupców szata pozostanie niewidzialna.

– O, to bardzo ciekawe! – ucieszył się władca. – Wreszcie dowiem się, cóż warci są moi doradcy i ministrowie!

Upłynęło kilka dni. Cesarz nie mógł się już doczekać nowego stroju. Wezwał więc najważniejszego ze swoich ministrów i polecił mu udać się do pracowni krawieckiej. Pragnął się dowiedzieć, jak postępują prace.

W warsztacie oszuści z zapałem pochylali się nad pustym stołem i dotykali nieistniejącej tkaniny.
– Och, proszę spojrzeć – zwrócili się do przybysza – jaka cudowna barwa i wzór!

– Nie do wiary! – zawołał minister, pomimo że nie dostrzegł ani skrawka materiału. Nie chciał jednak wyjść na głupca.

Po powrocie do pałacu oświadczył cesarzowi, że w życiu nie widział piękniejszej tkaniny.

– Wspaniale! – wykrzyknął monarcha. – Jestem w końcu władcą potężnego państwa, nie mogę chodzić w łachmanach!

Po kilku dniach ponownie wysłał do pracowni jednego ze swoich doradców. Na jego widok krawcy czym prędzej pochwycili niewidzialne igły i nici i przystąpili do wykańczania niewidzialnego stroju.

– Jeszcze tylko odrobinkę poszerzymy, podwiniemy, wyprasujemy, i już! – uwijali się, wymachując niewidzialnymi nożyczkami i żelazkiem. – Proszę spojrzeć, jak szata cudownie się mieni.
– Oooch... – wyjąkał tylko cesarski wysłannik. On także bał się przyznać, że niczego nie widzi.

Wreszcie ubranie było gotowe. Rankiem dwaj cudzoziemcy zjawili się w pałacu.

– Najjaśniejszy panie! Oto twój strój. Czyż nie jest cudowny? – zapytali z ukłonem.

„Chyba jestem głupszy od własnego ministra – z trwogą pomyślał władca. – Niczego nie widzę".
Głośno rzekł jednak:
– Istotnie wspaniały! Zostaniecie hojnie wynagrodzeni! – I… zaczął wkładać nieistniejące szaty.

Wkrótce cesarz wsiadł do lektyki i wyruszył na ulice, aby pokazać swój niezwykły strój poddanym. I chociaż wszyscy widzieli, że paraduje przez miasto bez ubrania, nikt nie odważył się powiedzieć tego głośno.

O rybaku i złotej rybce

Dawno temu
w ubogiej chatce
nad brzegiem
rzeki mieszkał
rybak ze swą
żoną.

Codziennie wypływał starą łodzią na połów, ale rzadko wracał z rybami. Byli więc biedni, a kobieta ciągle narzekała.

Pewnego
dnia w sieci
zatrzepotała
niezwykła ryba.

Była złota i przemówiła ludzkim głosem:

– Daruj mi życie, a spełnię każde twoje życzenie.

– Ja niczego od ciebie nie chcę, ale moja żona marzy o nowej chacie – powiedział nieśmiało rybak.

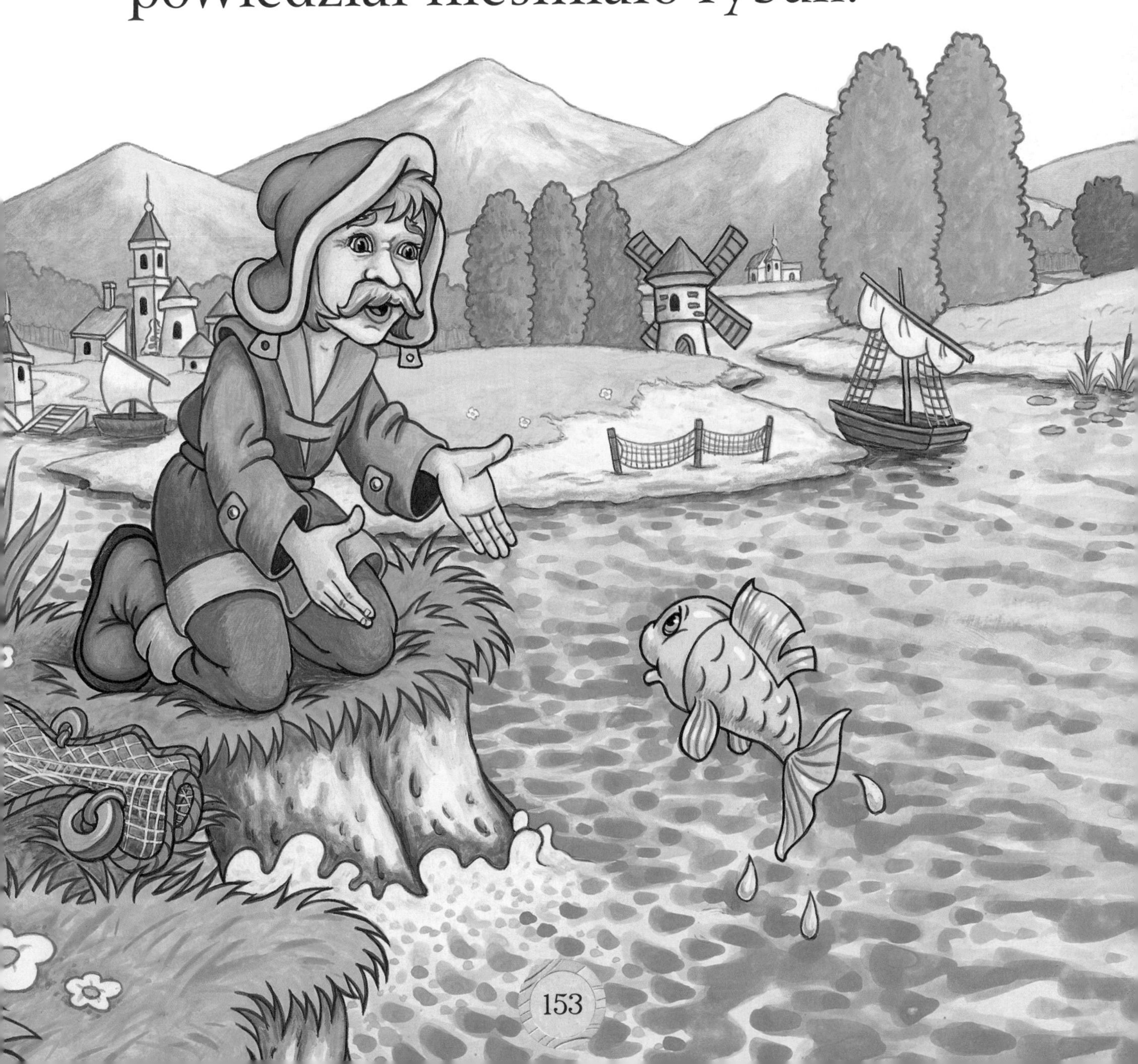

Wraca rybak, a tu
w miejscu lepianki
stoi piękny
murowany dom.

Po tygodniu jednak kobieta zapragnęła mieszkać w pałacu i ponownie wysłała męża nad rzekę.

Przypłynęła rybka na wołanie starego, wysłuchała prośby: w okamgnieniu zamieniła dom we wspaniały pałac.

Minął tydzień. Znudzona rybakowa znów wypędziła męża nad wodę.
– Chcę być królową i mieć największy zamek na świecie!

Poszedł rybak nad rzekę.
Złota rybka podpłynęła do niego,
wysłuchała jego słów i nic
nie powiedziawszy, zniknęła
w głębinie.

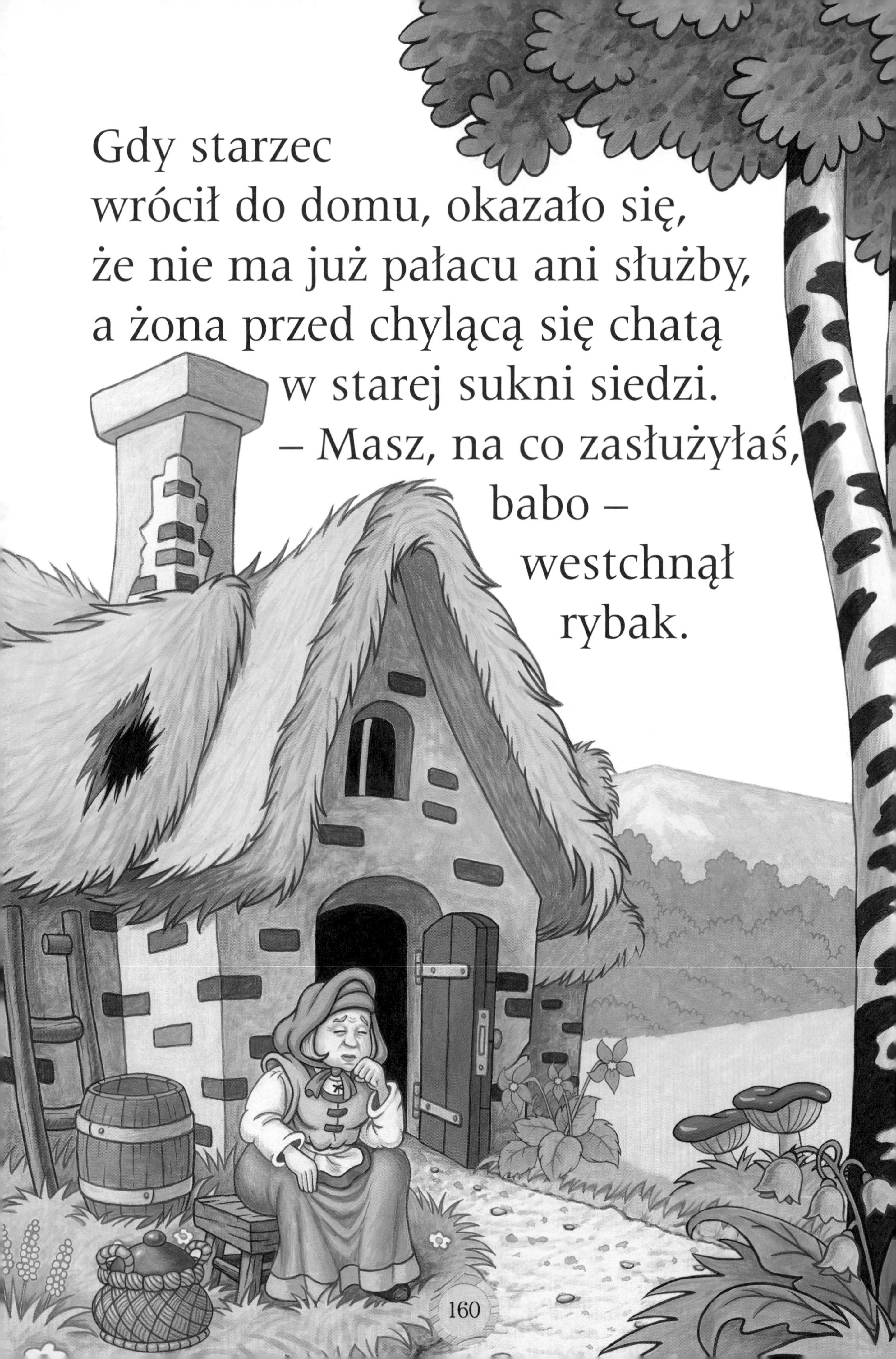

Gdy starzec
wrócił do domu, okazało się,
że nie ma już pałacu ani służby,
a żona przed chylącą się chatą
w starej sukni siedzi.
– Masz, na co zasłużyłaś,
babo –
westchnął
rybak.

Paluszek

W leśnej chatce żył drwal z żoną i piątką synów. Starsi chłopcy byli rośli i silni, a najmłodszego nazywano Paluszkiem – taki był mały.

Bracia pomagali rodzicom w gospodarstwie. Zimą chodzili do lasu po chrust i drewno na opał. Pewnego razu zgubili drogę i długo błądzili wśród drzew. W końcu spostrzegli niewielką chatę.

Starsza kobieta, która przywitała ich na progu, okazała się żoną wilkołaka. Nie chciała wpuścić chłopców do środka, obawiając się, że mąż pożre ich po swoim powrocie.

Ale zmrok gęstniał i dzieci nie mogły zostać w lesie. Może tej nocy wilkołak nie wróci do domu i nic złego się nie zdarzy…

Wilkołak jednak wrócił. Postanowił zjeść chłopców na śniadanie, a tymczasem położył się spać.

Nad ranem kobieta
pomogła braciom uciec.

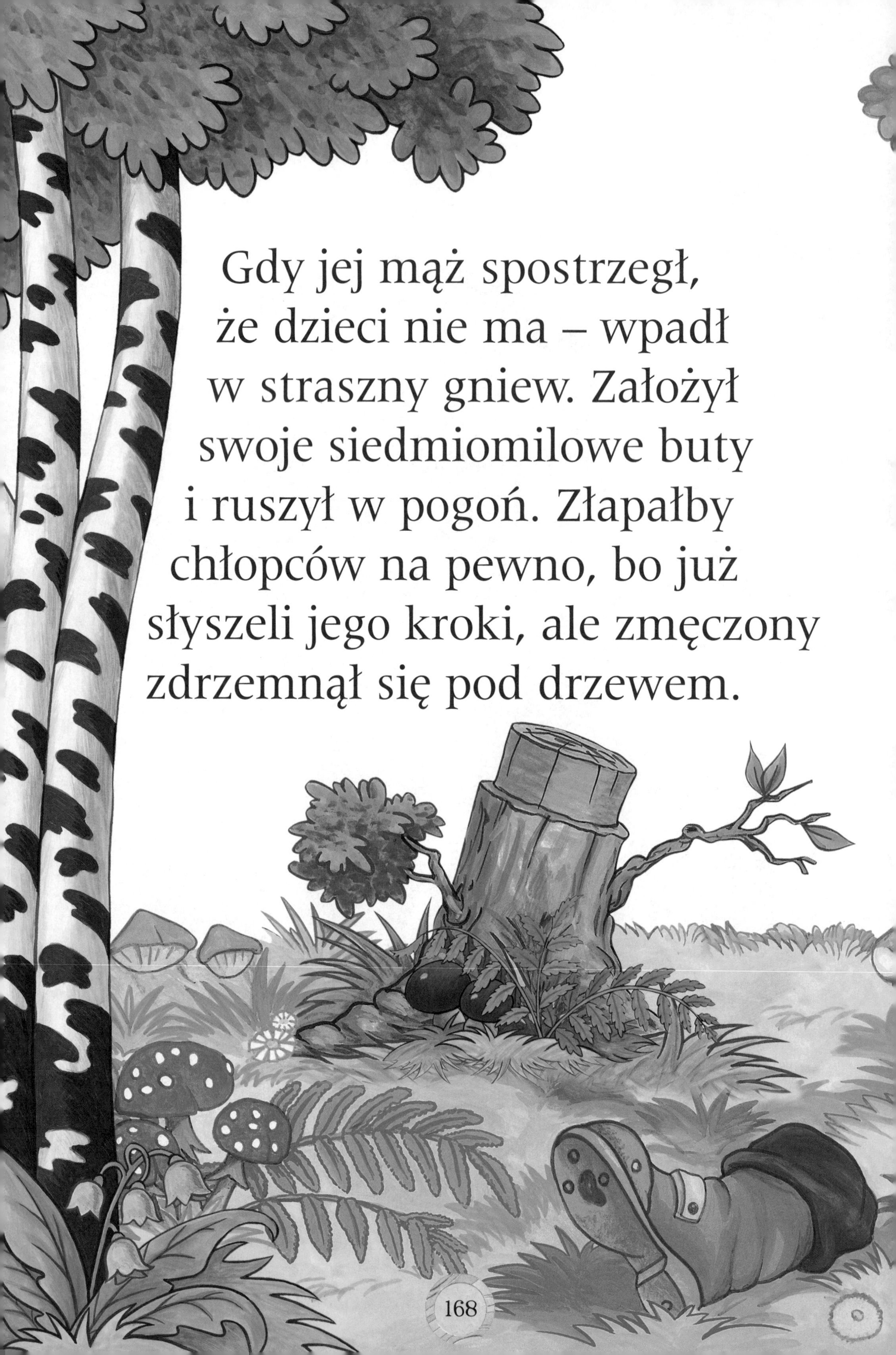

Gdy jej mąż spostrzegł, że dzieci nie ma – wpadł w straszny gniew. Założył swoje siedmiomilowe buty i ruszył w pogoń. Złapałby chłopców na pewno, bo już słyszeli jego kroki, ale zmęczony zdrzemnął się pod drzewem.

Wtedy Paluszek zakradł się po cichutku i zabrał czarodziejskie buty. Wściekły wilkołak nie miał szans na schwytanie dzieci. Jak niepyszny wrócił do domu.

Po szczęśliwym powrocie Paluszek pokazał buty rodzicom i postanowił zostać królewskim gońcem.

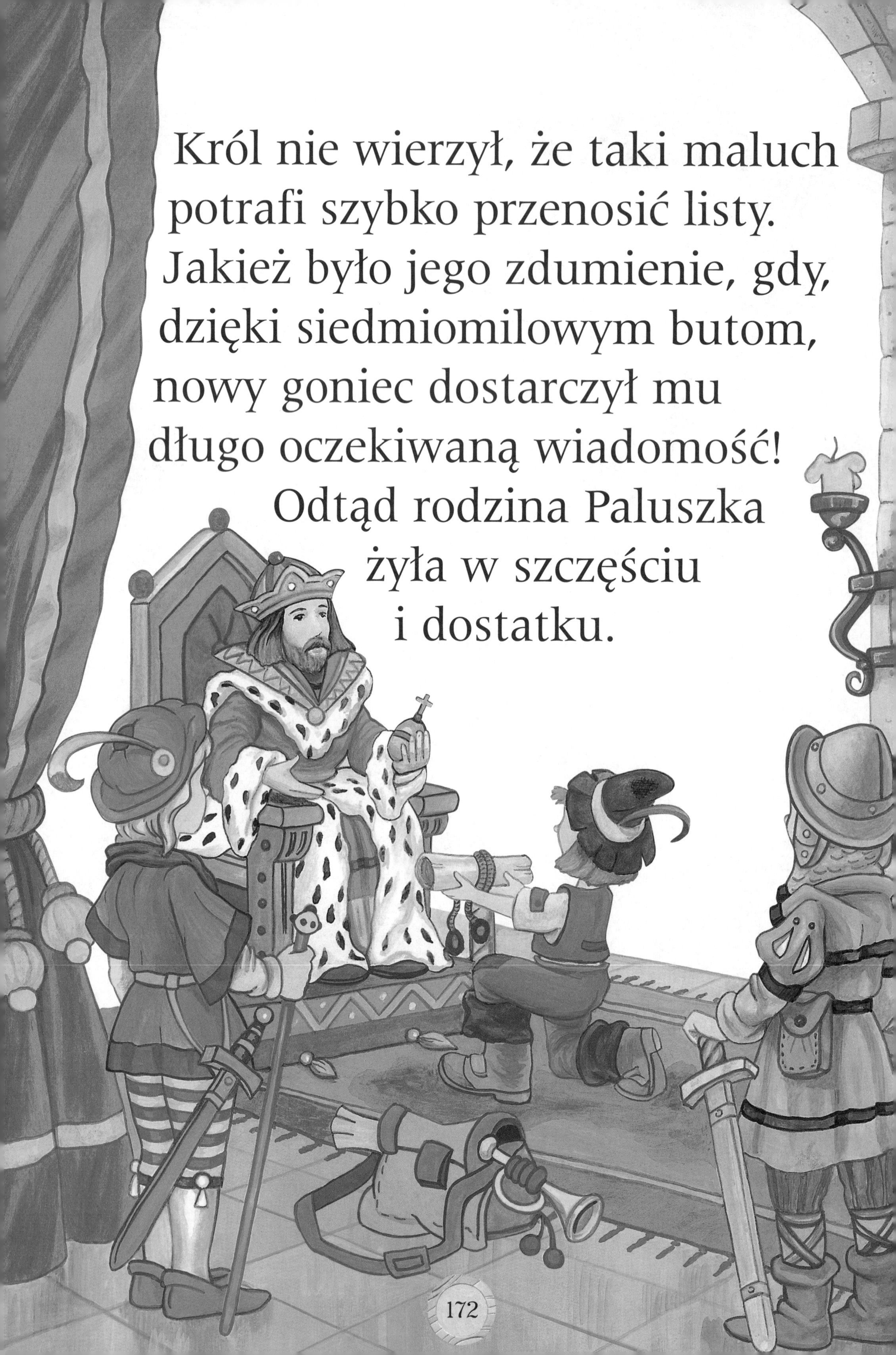

Król nie wierzył, że taki maluch potrafi szybko przenosić listy. Jakież było jego zdumienie, gdy, dzięki siedmiomilowym butom, nowy goniec dostarczył mu długo oczekiwaną wiadomość!

Odtąd rodzina Paluszka żyła w szczęściu i dostatku.

Roszpunka

Żyło kiedyś pewne małżeństwo. Bardzo się kochali i z radością czekali na dzień, w którym urodzi się ich dziecko. Pewnej nocy kobieta długo nie mogła zasnąć. Podeszła do okna i w blasku gasnącego księżyca patrzyła na bujny ogród mieszkającej w sąsiedztwie czarownicy. Na grządkach rosła dorodna, apetyczna roszpunka.

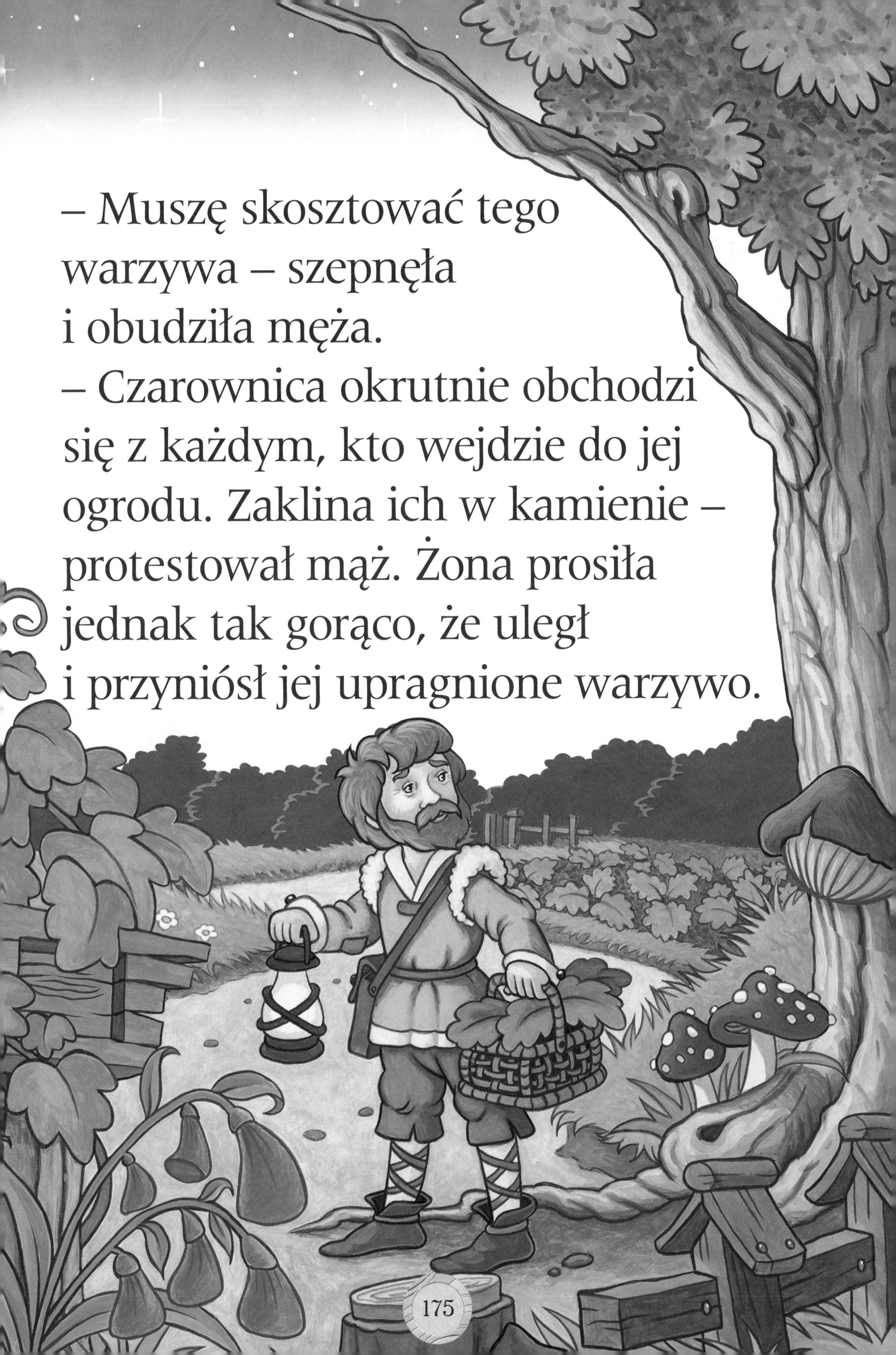

– Muszę skosztować tego warzywa – szepnęła i obudziła męża.
– Czarownica okrutnie obchodzi się z każdym, kto wejdzie do jej ogrodu. Zaklina ich w kamienie – protestował mąż. Żona prosiła jednak tak gorąco, że uległ i przyniósł jej upragnione warzywo.

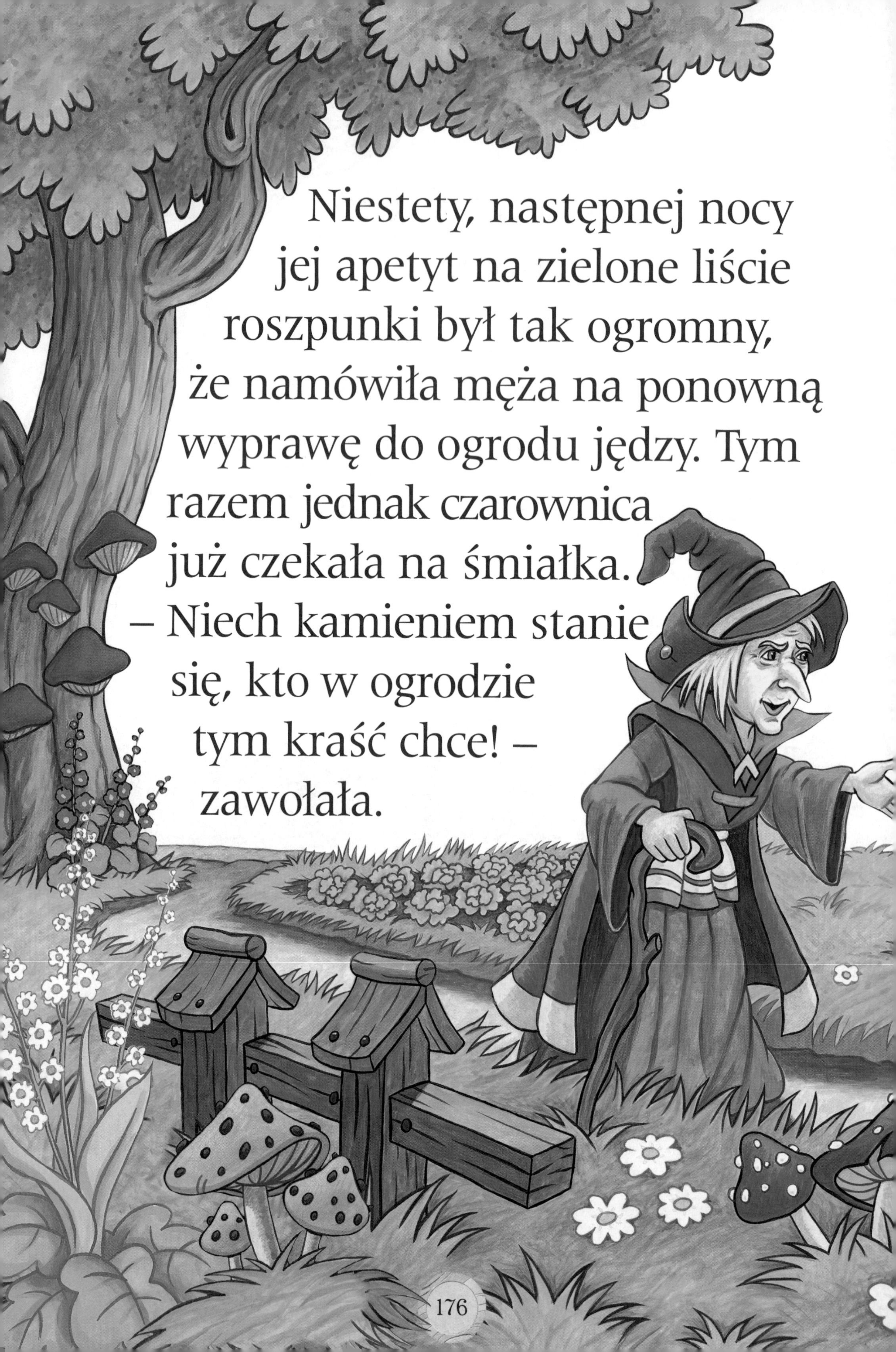

Niestety, następnej nocy jej apetyt na zielone liście roszpunki był tak ogromny, że namówiła męża na ponowną wyprawę do ogrodu jędzy. Tym razem jednak czarownica już czekała na śmiałka.

– Niech kamieniem stanie się, kto w ogrodzie tym kraść chce! – zawołała.

– Daruj mi, a oddam ci, czego zażądasz – błagał mężczyzna.
– Niech niemowlę śliczne twoje będzie wkrótce moje, moje!
Przerażony mąż zgodził się na wszystko i kiedy urodziła się córeczka, oddał ją czarownicy.
Ta nazwała małą Roszpunką.

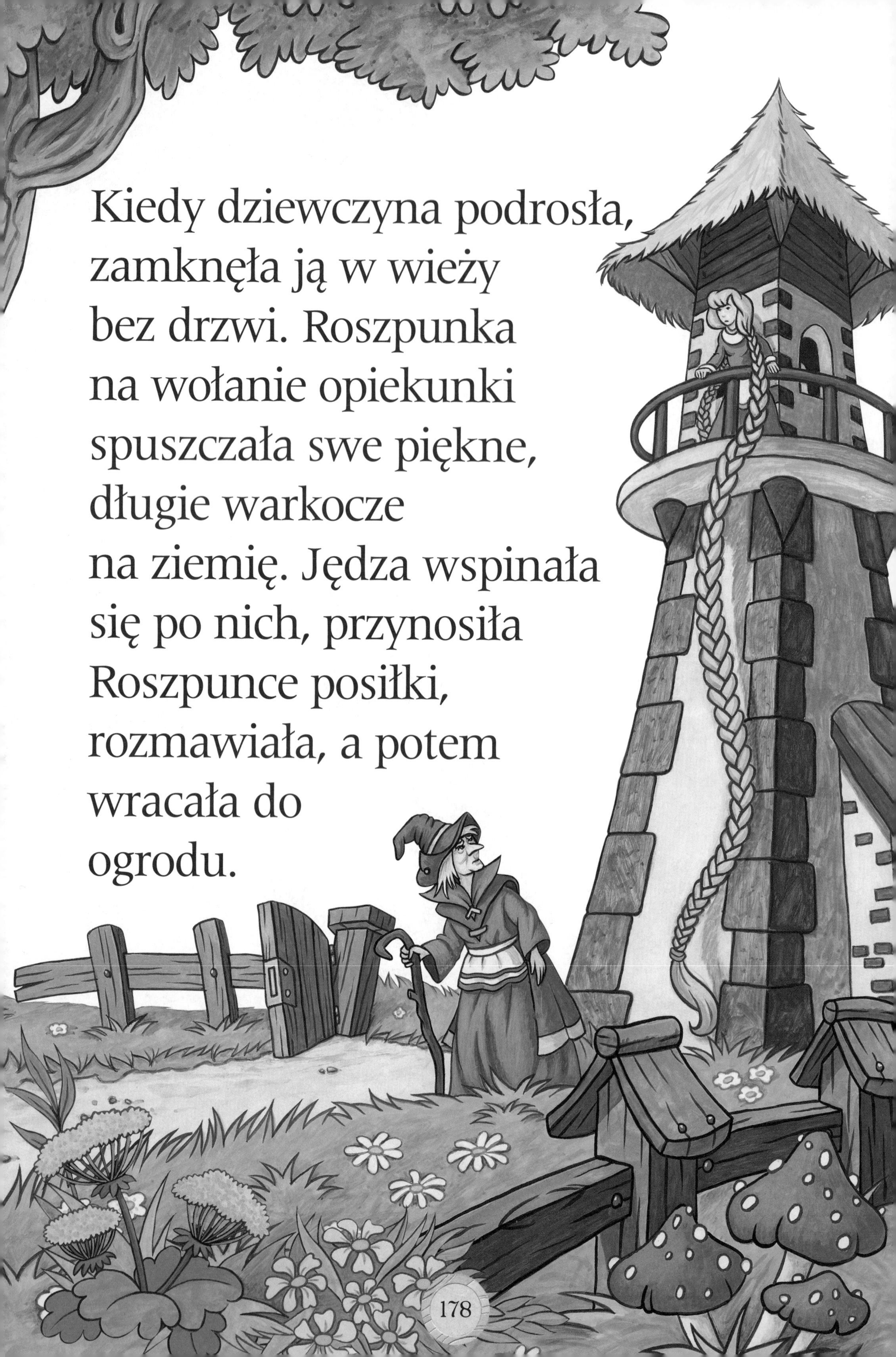

Kiedy dziewczyna podrosła, zamknęła ją w wieży bez drzwi. Roszpunka na wołanie opiekunki spuszczała swe piękne, długie warkocze na ziemię. Jędza wspinała się po nich, przynosiła Roszpunce posiłki, rozmawiała, a potem wracała do ogrodu.

Pewnego dnia piękny śpiew dziewczyny usłyszał przejeżdżający w pobliżu młody książę. Ukryty za drzewem obserwował wieżę. Wkrótce odkrył tajemnicę Roszpunki. Zakochał się w niej, gdy wychylona z okna podawała warkocze czarownicy.

W nocy stanął pod wieżą i naśladując wiedźmę, zawołał:
– Roszpunko, dziewczę urocze, podaj mi swoje warkocze!
Szybko dostał się na górę. Dziewczyna była zdziwiona i przestraszona, ale zachwycona młodzieńcem. Odtąd zakochani spotykali się co noc.

Roszpunka nie wiedziała jednak, że powinna dochować tajemnicy i zdradziła się przed jędzą.

– Książę? – wiedźma była bardzo ciekawa. – Pragnę go poznać – szepnęła, planując podstęp.

Tej nocy obydwie czekały na gościa, ale gdy tylko się pojawił, czarownica wypchnęła go z okna. Książę spadł na krzew o trujących liściach, oślepł i nie mógł znaleźć drogi do domu. Jego ukochana, wypędzona do lasu, długo błąkała się po bezdrożach, aż w końcu zamieszkała samotnie w opuszczonej chatce.

Wiele dni, miesięcy i pór roku minęło, zanim oślepiony książę trafił do tego miejsca. Roszpunka wyszła na próg z bliźniętami. Jej łzy radości obmyły oczy księcia i młodzieniec odzyskał wzrok.

– To nasze dzieci – wskazała na chłopca i dziewczynkę.

Wkrótce rodzina zamieszkała w książęcym pałacu. Żyli długo, szczęśliwie i bezpiecznie, a o złej czarownicy wszelki słuch zaginął.

Stoliczku, nakryj się!

We we wsi, której
nazwy nikt już
dziś nie pamięta,
żył ubogi wieśniak.
Miał kozę i trzech synów.

Każdego ranka jeden z nich zabierał zwierzę na łąkę, a po powrocie do zagrody ojciec sprawdzał, czy synowie dobrze się nim opiekowali i czy nie wróciło z pastwiska głodne.

Zdarzyło się jednak, że koza kłamczucha, objedzona wyjątkowo pysznymi trawami, udawała głodną. Wieśniak spojrzał groźnie na najstarszego syna, który tego dnia pasł zwierzę, a potem, o nic nie pytając, wypędził go z domu.

Taki sam los spotkał średniego i najmłodszego chłopca. Ojciec zrozumiał swój błąd, kiedy sam zaprowadził kozę na łąkę, gdzie rosła bujna trawa, a ona znów udawała głodną. Ale synowie byli już daleko.

Czas płynął i młodzieńcy zdążyli już ojcu wybaczyć, że był dla nich tak niesprawiedliwy.
Najstarszy powracał do domu z cudownym stolikiem, który dostał w nagrodę za wzorową pracę u stolarza.

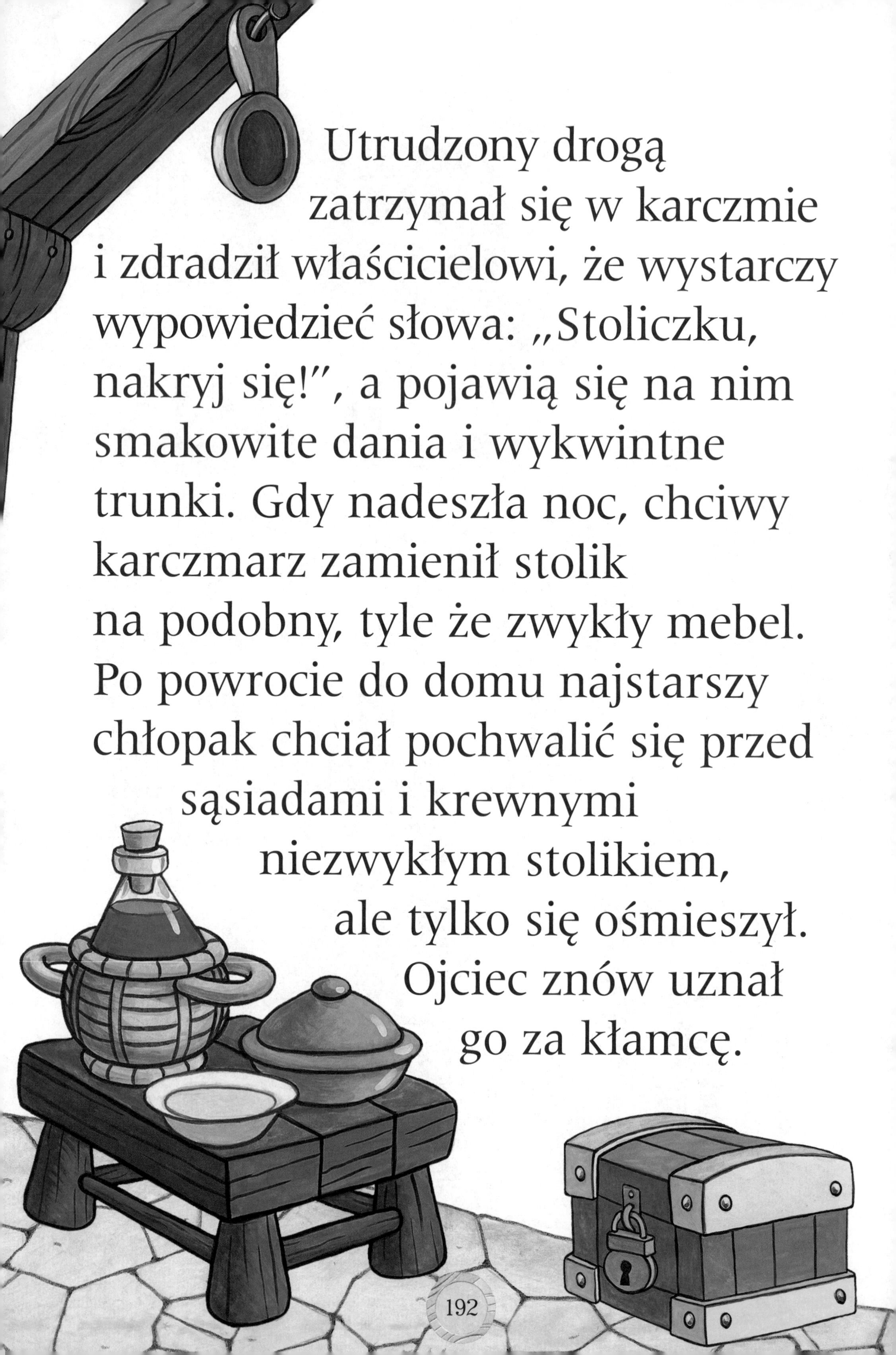

Utrudzony drogą zatrzymał się w karczmie i zdradził właścicielowi, że wystarczy wypowiedzieć słowa: „Stoliczku, nakryj się!”, a pojawią się na nim smakowite dania i wykwintne trunki. Gdy nadeszła noc, chciwy karczmarz zamienił stolik na podobny, tyle że zwykły mebel. Po powrocie do domu najstarszy chłopak chciał pochwalić się przed sąsiadami i krewnymi niezwykłym stolikiem, ale tylko się ośmieszył. Ojciec znów uznał go za kłamcę.

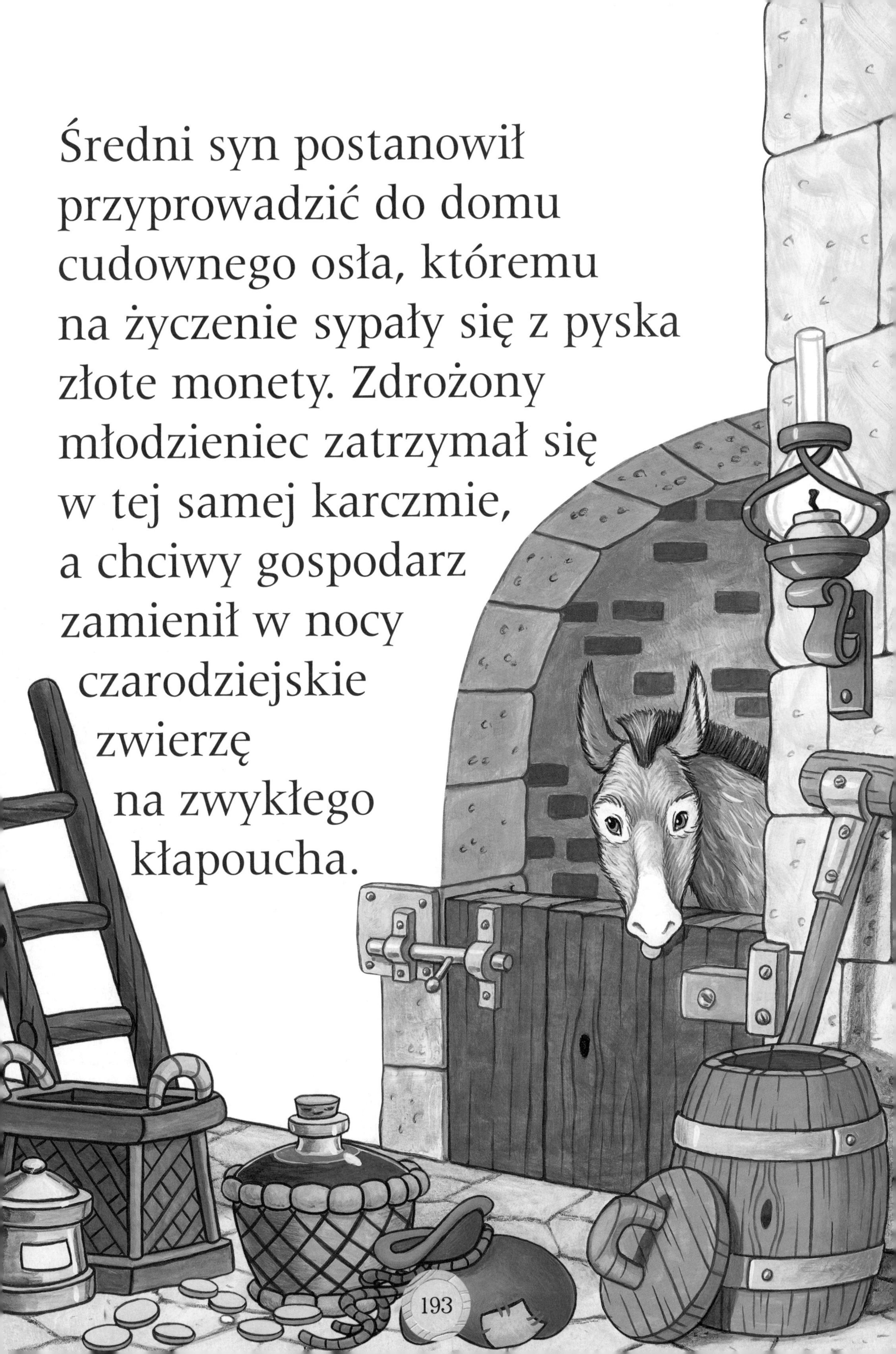

Średni syn postanowił przyprowadzić do domu cudownego osła, któremu na życzenie sypały się z pyska złote monety. Zdrożony młodzieniec zatrzymał się w tej samej karczmie, a chciwy gospodarz zamienił w nocy czarodziejskie zwierzę na zwykłego kłapoucha.

Po powrocie średniego syna do domu znów zaproszono sąsiadów i krewnych, aby pokazać wszystkim, co potrafi osioł. Jednak z jego pyska zamiast złotych monet wydobywały się tylko smętne porykiwania.

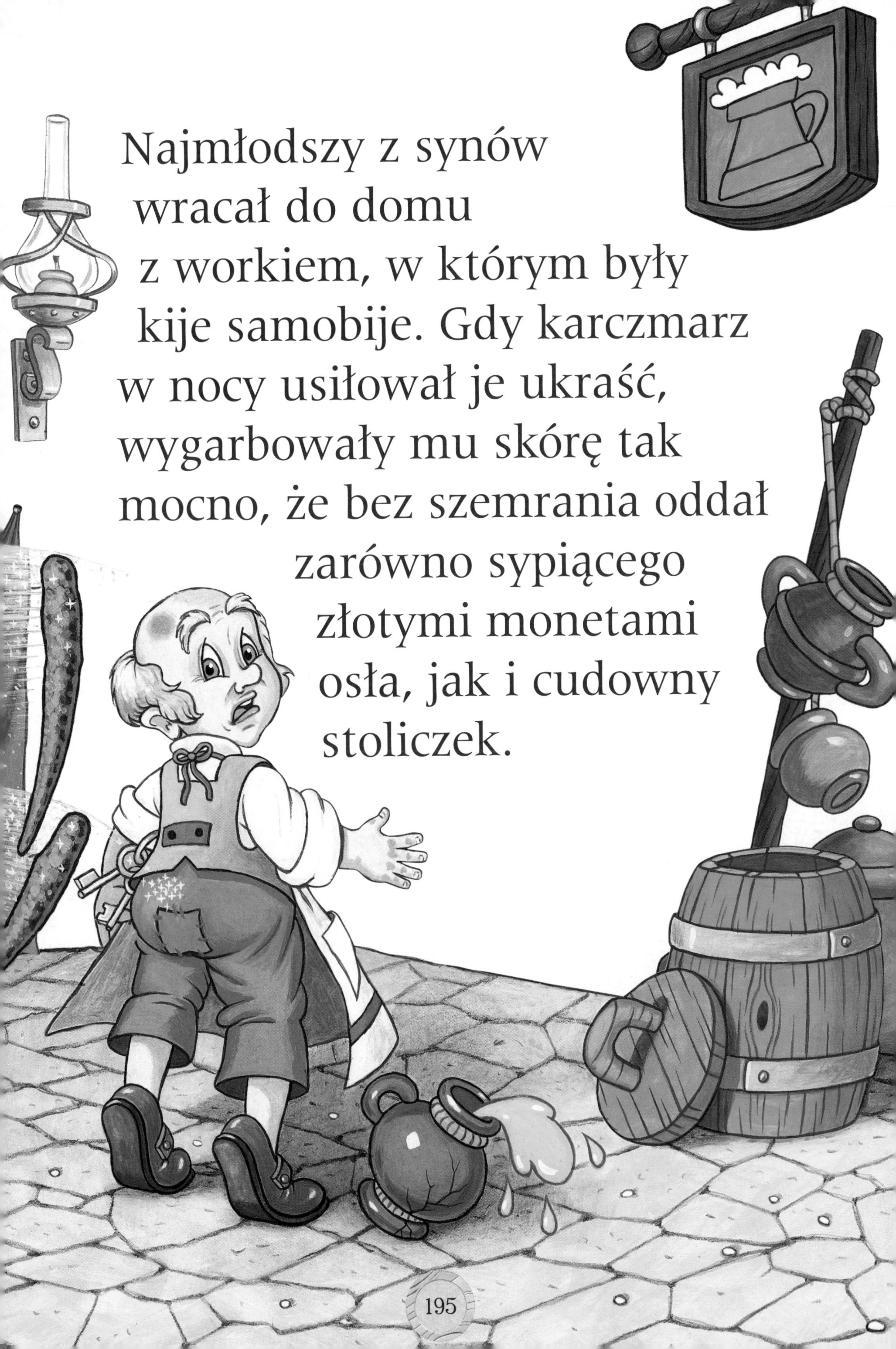

Najmłodszy z synów wracał do domu z workiem, w którym były kije samobije. Gdy karczmarz w nocy usiłował je ukraść, wygarbowały mu skórę tak mocno, że bez szemrania oddał zarówno sypiącego złotymi monetami osła, jak i cudowny stoliczek.

Po powrocie najmłodszego syna do domu zaproszono sąsiadów i krewnych, ugoszczono ich wspaniałymi potrawami wyczarowanymi przez stoliczek, a ponadto każdego obdarowano sakiewką złota.

Śpiąca królewna

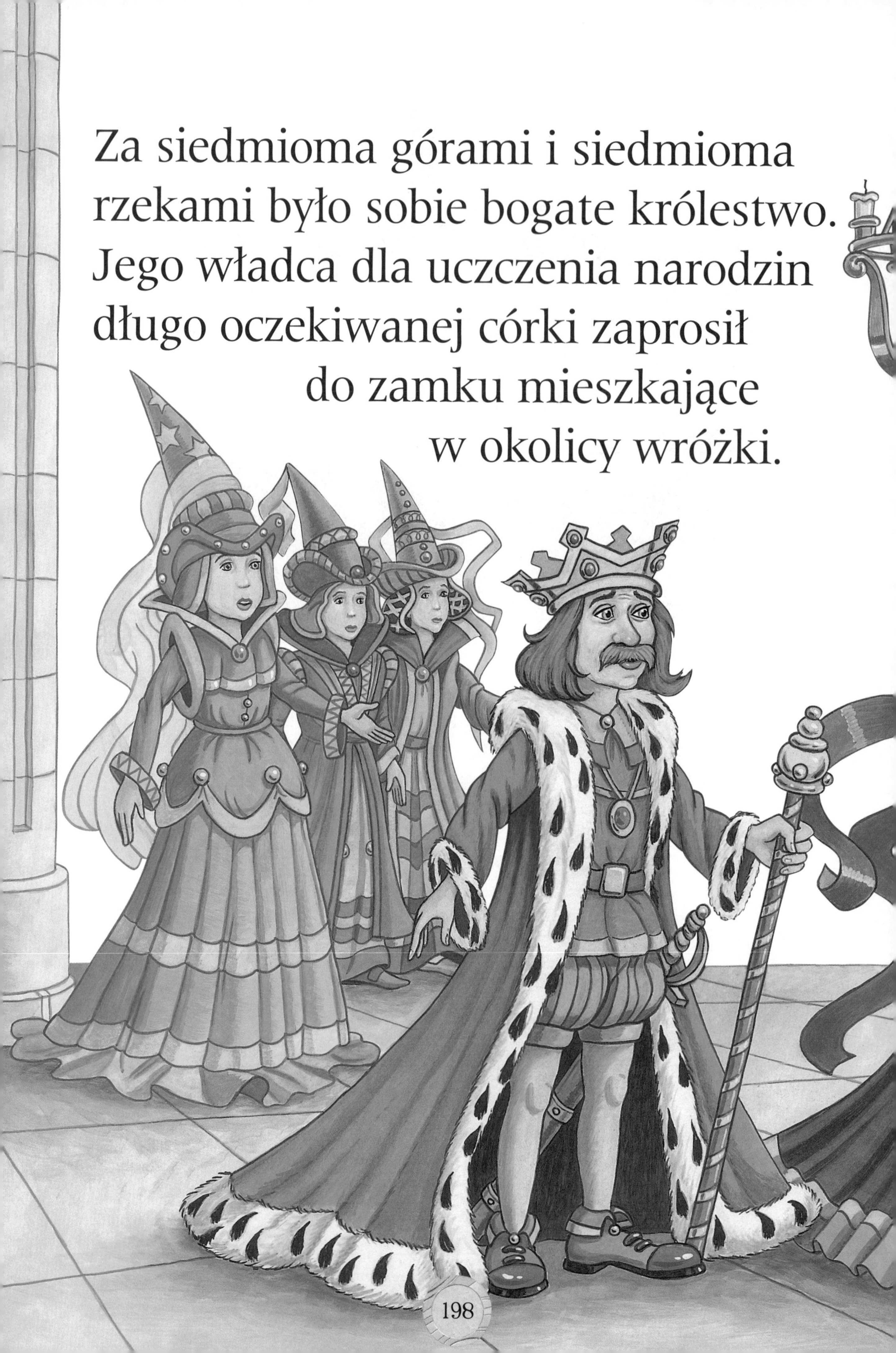

Za siedmioma górami i siedmioma rzekami było sobie bogate królestwo. Jego władca dla uczczenia narodzin długo oczekiwanej córki zaprosił do zamku mieszkające w okolicy wróżki.

Zapomniał tylko
o jednej – najstarszej,
ale ona i tak zjawiła się
na uczcie.

Gdy młodsze wróżki obdarowały dziecko wszystkim, co najlepsze, wyszła z ukrycia i rzuciła na królewnę zły czar.

– Kiedy skończy siedemnaście lat, ukłuje się wrzecionem i wraz z całym dworem zapadnie w sen, z którego nigdy już się nie obudzi – powiedziała i poszła sobie.

Król natychmiast rozesłał gońców, by we wszystkich wsiach i miastach ogłaszali, że każde wrzeciono ma być niezwłocznie spalone. Poddani posłusznie wypełnili rozkaz. Tylko pewna głucha jak pień staruszka nie usłyszała królewskiego edyktu i dalej przędła w swoim pokoiku na wieży.

Królewna wyrosła na miłą, piękną i mądrą pannę. W dniu swoich siedemnastych urodzin, bawiąc się w parku piłką, spostrzegła wśród drzew wysoką wieżę.

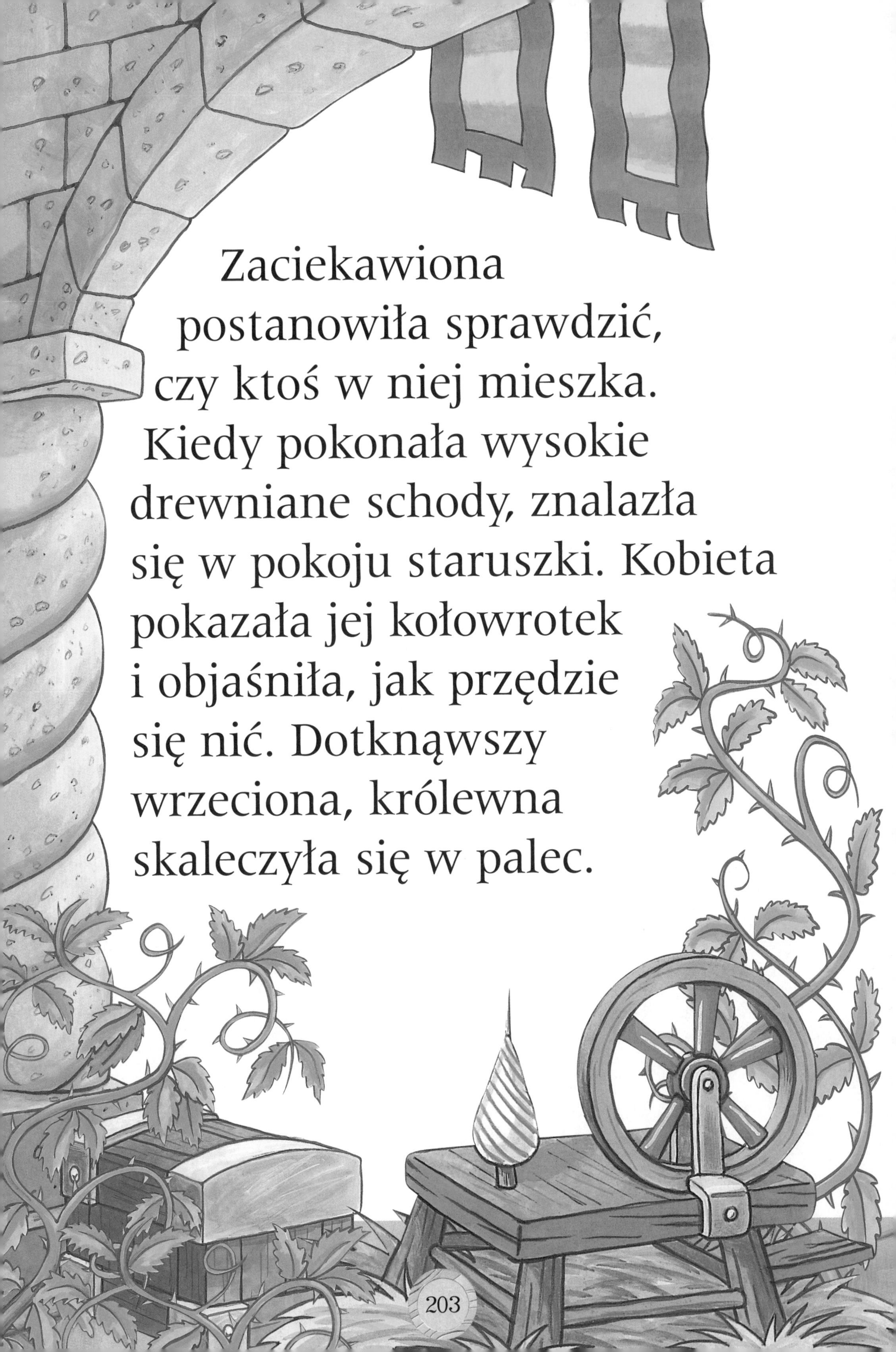

Zaciekawiona postanowiła sprawdzić, czy ktoś w niej mieszka. Kiedy pokonała wysokie drewniane schody, znalazła się w pokoju staruszki. Kobieta pokazała jej kołowrotek i objaśniła, jak przędzie się nić. Dotknąwszy wrzeciona, królewna skaleczyła się w palec.

Gdy tylko wróciła do zamku, zapadła w czarodziejski sen, a wraz z nią cały dwór.

Wtedy zjawiła się najmłodsza wróżka i swoją mocą złagodziła okrutne zaklęcie – za sto lat piękny książę będzie mógł obudzić królewnę.

Czas mijał. Park wokół zamku zdziczał, drogi zarosły gęstymi krzakami. Po stu latach przejeżdżał tamtędy młody książę. Spostrzegł wieże tajemniczej budowli i postanowił sprawdzić, co kryje się za starym murem.

Po chwili stanął
w królewskich komnatach.
Zdumiony przyglądał się
śpiącym dworzanom.

Natrafiwszy na sypialnię królewny, tak zachwycił się urodą śpiącej dziewczyny, że delikatnie ją pocałował. Wtedy ona ocknęła się ze stuletniego snu, a wraz z nią obudził się cały dwór. Wówczas książę poprosił o rękę królewny i wkrótce odbyło się huczne wesele.

Wilk i siedem koźlątek

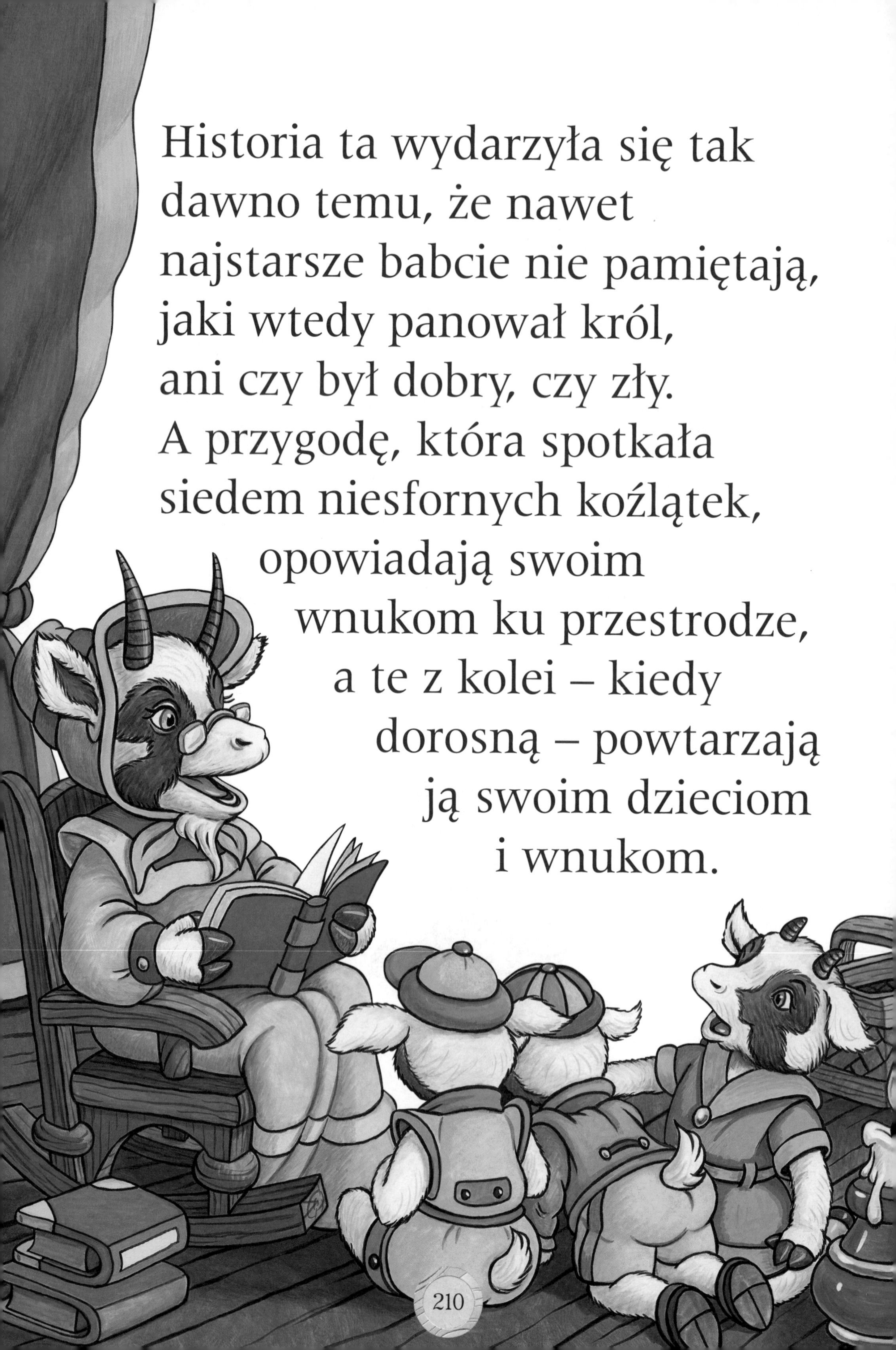

Historia ta wydarzyła się tak dawno temu, że nawet najstarsze babcie nie pamiętają, jaki wtedy panował król, ani czy był dobry, czy zły. A przygodę, która spotkała siedem niesfornych koźlątek, opowiadają swoim wnukom ku przestrodze, a te z kolei – kiedy dorosną – powtarzają ją swoim dzieciom i wnukom.

Zaczynała się jesień, a po niej miała nadejść sroga zima. Mama koza musiała zostawić w położonej w głębi lasu chatce siedmioro swoich dzieci i udać się na odległą łąkę, by zebrać zapasy siana na zimę.

Przed wyjściem
przestrzegła koźlęta:
– Nie otwierajcie nikomu!
W okolicy widziano wilka,
który ma gruby głos, bure łapy
zakończone ostrymi
pazurami i wielki
apetyt na was!

Zaraz po wyjściu mamy kozy wilk zastukał do drzwi chaty, ale maluchy rozpoznały go po grubym głosie i nie wpuściły do środka. Kosmaty zwierz wypił więc trzy surowe jajka, tak że głos mu się zmienił i mógł naśladować kozie meczenie.

Niewiele mu to pomogło, bo koźlęta rozpoznały go po burej łapie i ostrych pazurach.

Nie zrezygnował jednak. Pobiegł do wiatraka, wybielił się mąką i znowu zapukał do drzwi chaty.
– Kto tam? – zapytały koźlęta.
– To ja, wasza mama.
– O, nie. Ty nie jesteś naszą mamą – stwierdziły maluchy. – Mama zawsze pokazuje nam swoje białe kopytko.
Wówczas wilk wsunął ubieloną mąką łapę i… koźlęta wpuściły go do środka.

Wilk rzucił się na koźlęta i pożarł je w mgnieniu oka. Nie zauważył tylko najmniejszego koziołka, który ukrył się w wielkim zegarze. Kiedy wróciła mama koza, malec opowiedział jej o tym, co się stało.

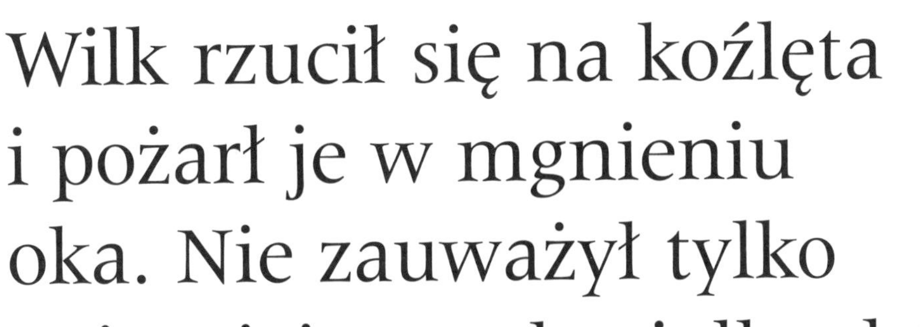

Mama koza wkrótce odnalazła wilka. Niegodziwiec najadł się tak, że zmorzył go sen. Koza postanowiła dać mu nauczkę. Rozcięła jego brzuch nożycami, a kiedy koźlęta wyskoczyły ze środka całe i zdrowe, zaszyła w żołądku potwora ciężkie kamienie.

Kiedy wilk się przebudził, poczuł, że coś mu bardzo ciąży w brzuchu. Postanowił napić się wody z rzeki. Ledwie jednak pochylił się nad połyskującą w słońcu taflą, kamienie wciągnęły go w odmęty. W jednej chwili poszedł na dno i wszelki słuch o nim zaginął.

A koźlęta wróciły wraz z mamą do domu i żyły długo i szczęśliwie.

Lampa Aladyna

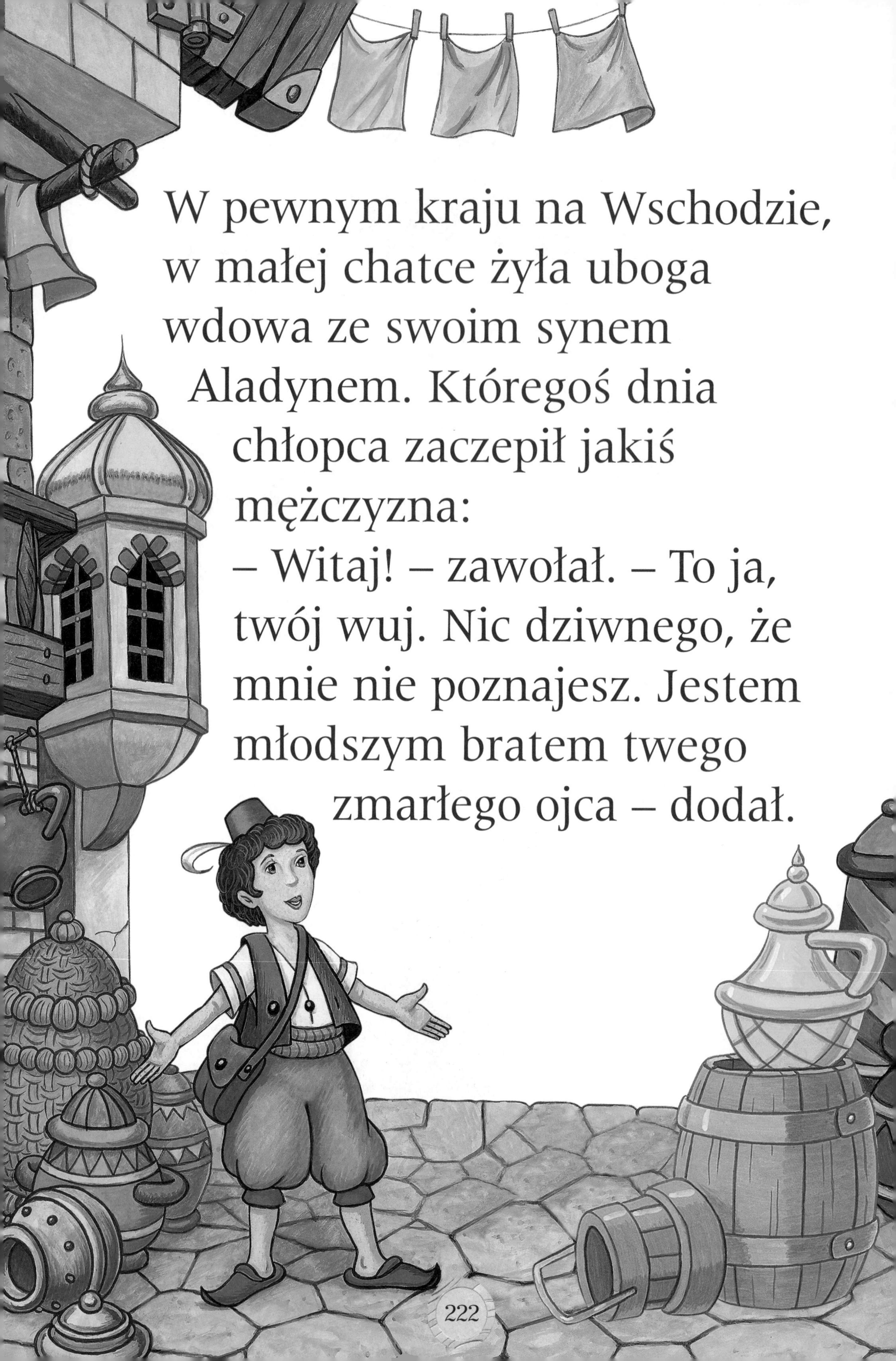

W pewnym kraju na Wschodzie, w małej chatce żyła uboga wdowa ze swoim synem Aladynem. Któregoś dnia chłopca zaczepił jakiś mężczyzna:

– Witaj! – zawołał. – To ja, twój wuj. Nic dziwnego, że mnie nie poznajesz. Jestem młodszym bratem twego zmarłego ojca – dodał.

– Dawno temu opuściłem rodzinny dom. Byłem w dalekich krajach i wróciłem jako bogacz. Nie mogę pozwolić, by mój bratanek i jego matka żyli w nędzy – to mówiąc, uśmiechnął się szeroko.

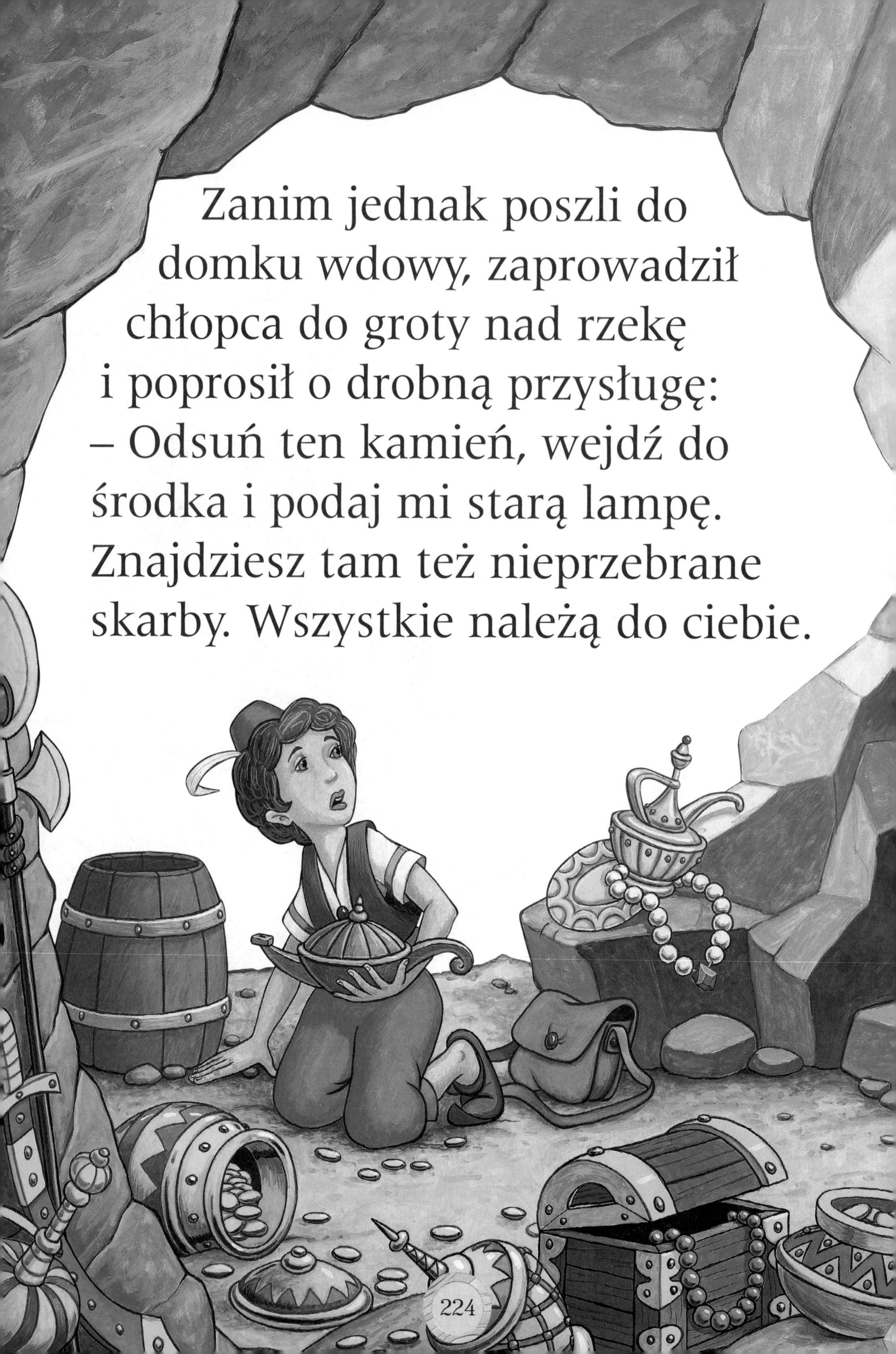

Zanim jednak poszli do domku wdowy, zaprowadził chłopca do groty nad rzekę i poprosił o drobną przysługę:

– Odsuń ten kamień, wejdź do środka i podaj mi starą lampę. Znajdziesz tam też nieprzebrane skarby. Wszystkie należą do ciebie.

– Nie podam ci lampy, dopóki mi nie powiesz, po co ci ona! – zawołał Aladyn, kiedy znalazł się w lśniącej od złota jaskini.

Mężczyzna próbował go przekonać, a gdy to się nie udało, czarodziejską mocą zamknął wyjście z groty. Był bowiem magiem.

W ciemności Aladyn przycisnął do siebie lampę i potarł ją o ubranie. Wtedy pojawił się dżin – duch, który spełnia każde życzenie swego wyzwoliciela. A chłopiec właśnie uwolnił go z lampy.

– Zanieś mnie do pałacu sułtana i spraw, żebym ożenił się z księżniczką – zażądał Aladyn.

Dżin natychmiast wykonał polecenie.

Aladyn żyłby pewnie długo i szczęśliwie z piękną córką władcy, gdyby nie czarodziej.

Podstępem wykradł lampę, uwolnił dżina i rozkazał mu przenieść pałac z księżniczką na pustynię – sam bowiem kochał śliczną dziewczynę i chciał ją pojąć za żonę.

Sułtan wpadł w straszliwy gniew. Przywołał Aladyna i rzekł do niego:
– Jeśli w ciągu czterdziestu dni nie odnajdziesz mojej córki, każę cię ściąć!
Przez trzydzieści dziewięć dni chłopiec na próżno szukał księżniczki. Czterdziestego poranka poszedł nad rzekę, usiadł u wejścia do groty i westchnął.

Wkrótce miał przecież umrzeć.
Nagle w trawie coś błysnęło. Aladyn pochylił się i podniósł złoty pierścień – ślad po bogactwach czarodziejskiej jaskini.

Kiedy przetarł go rękawem, stanął przed nim dżin.

– Spełnię każde twoje życzenie, panie – powiedział.

Czegóż mógł chcieć Aladyn? Rozkazał, aby dżin sprowadził pałac z księżniczką na dawne miejsce, a czarodzieja na zawsze uwięził w pierścieniu. Teraz Aladyn i córka sułtana naprawdę mogli żyć długo i szczęśliwie.

Zając i żółw

Wśród soczystych łąk i ocienionych gajów oliwnych kicał sobie zając. Był najszybszym stworzeniem w całej Grecji i dobrze o tym wiedział. Wszystkim chwalił się, że nikt go nie prześcignie. A zwierzęta przytakiwały, nawet nie próbując stawać z nim w zawody.

Wszyscy wiedzieli, że wyścigi
z zającem mogą zakończyć się
wyłącznie przegraną.
Pewnego razu zając spotkał żółwia.
Widząc, jak bardzo jest ociężały
i powolny, zaczął z niego drwić.
– Wszyscy cię przeganiają, nawet
ślimaki i leniwe osły. Ty nigdy
z nikim nie wygrasz, ba, ty nawet
biegać nie umiesz! – szydził z żółwia
zając.

– Jesteś zarozumiały i niegrzeczny, dlatego dam ci nauczkę. Jutro będę się z tobą ścigał – odpowiedział urażony żółw.

– Uhahaha! Niech będzie, ty ślamazarne stworzenie – zając aż pokładał się ze śmiechu.

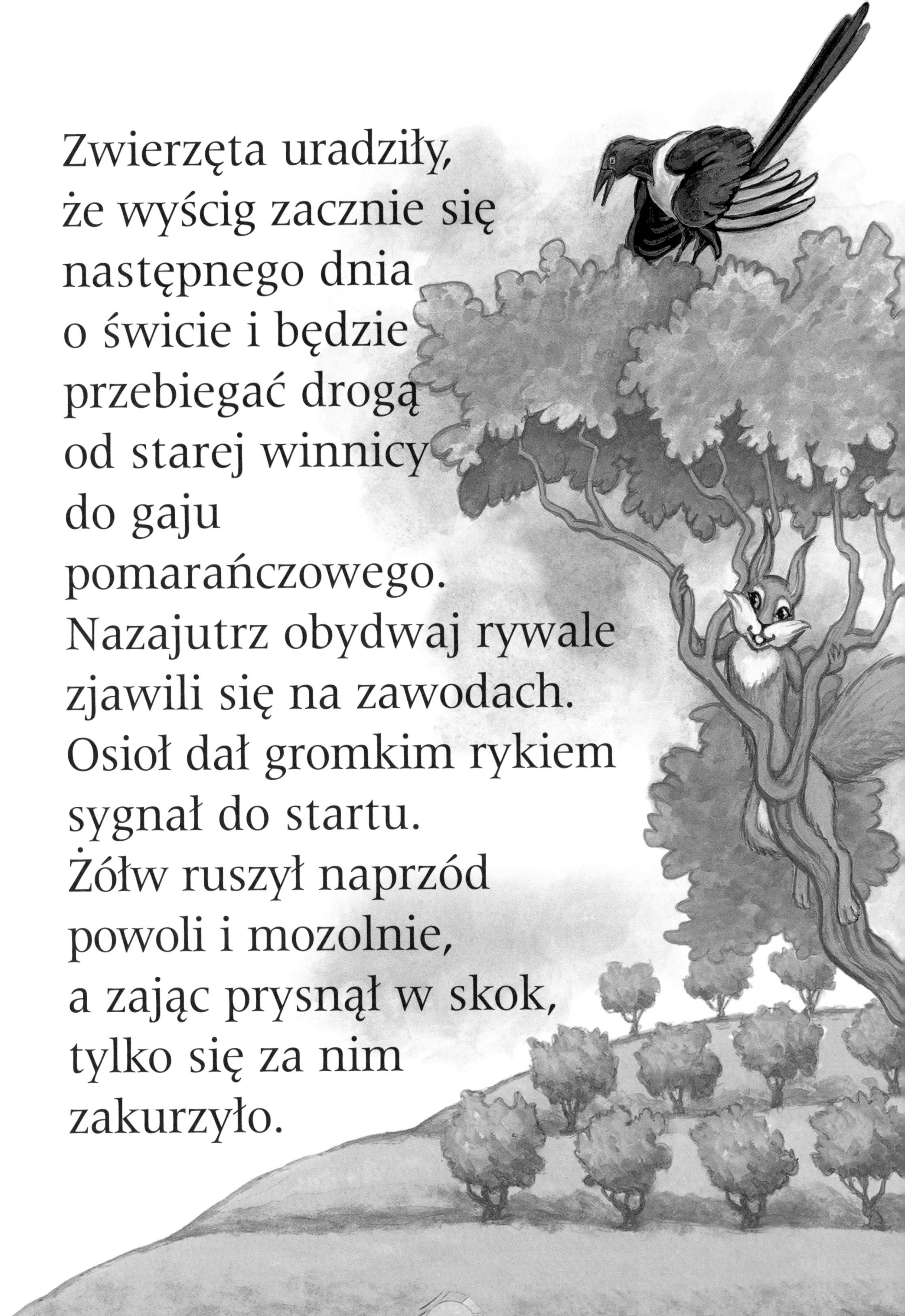

Zwierzęta uradziły,
że wyścig zacznie się
następnego dnia
o świcie i będzie
przebiegać drogą
od starej winnicy
do gaju
pomarańczowego.
Nazajutrz obydwaj rywale
zjawili się na zawodach.
Osioł dał gromkim rykiem
sygnał do startu.
Żółw ruszył naprzód
powoli i mozolnie,
a zając prysnął w skok,
tylko się za nim
zakurzyło.

Po kilkunastu susach zając obejrzał się i przystanął.
– Po co się trudzić? Ten nieborak żółw dojdzie do mety dopiero za kilka godzin – zachichotał.
Bez wahania dał susa w kępę miękkich traw w cieniu rozłożystego drzewa pinii i zachrapał.

Żółw tymczasem wytrwale posuwał się naprzód. Dostrzegł w trawie uszy zająca, po cichutku minął śpiącego rywala i poczłapał dalej. Po godzinie zając ocknął się.
– Ojojoj! Jak długo spałem? – spytał sam siebie.

Wyjrzał z kępy traw i zobaczył na drodze ślady żółwia.
– To nic, zdążę! – pisnął zając i puścił się w te pędy do przodu. Dogonił żółwia, który już był całkiem zlany potem.
– Witaj, żółwiu, jeszcze nie masz dosyć? – spytał go złośliwie i pognał do przodu.
Minęło już południe, wnet zającowi zachciało się jeść.

I oto przy drodze ujrzał zagony kapusty. Bez namysłu wskoczył w bruzdy i zaczął dobierać się do smakowitych warzyw.

Gdy jego brzuszek zaokrąglił się od sytego posiłku, zającowi ponownie zachciało się spać. Nie zorientował się, kiedy smacznie zasnął.

Tymczasem żółw bez chwili wytchnienia mozolnie, noga za nogą, dreptał do mety. Znowu minął śpiącego zająca. Nawet nie obejrzał się, tylko przyspieszył swój marsz. O zachodzie słońca dotarł do gaju pomarańczowego.

Kiedy zając obudził się, zdołał tylko wykrzyknąć: „O rety!”. Zerwał się do biegu, pędził jak wiatr, jak strzała wypuszczona z łuku. Gdy dobiegał do mety, ujrzał, że żółw stoi na niej od dawna i cieszy się z wygranej.

– Widzisz, dumny z siebie zającu? Wstydź się! Pilność i wytrwałość zawsze zostaną nagrodzone.

Ali Baba i czterdziestu rozbójników

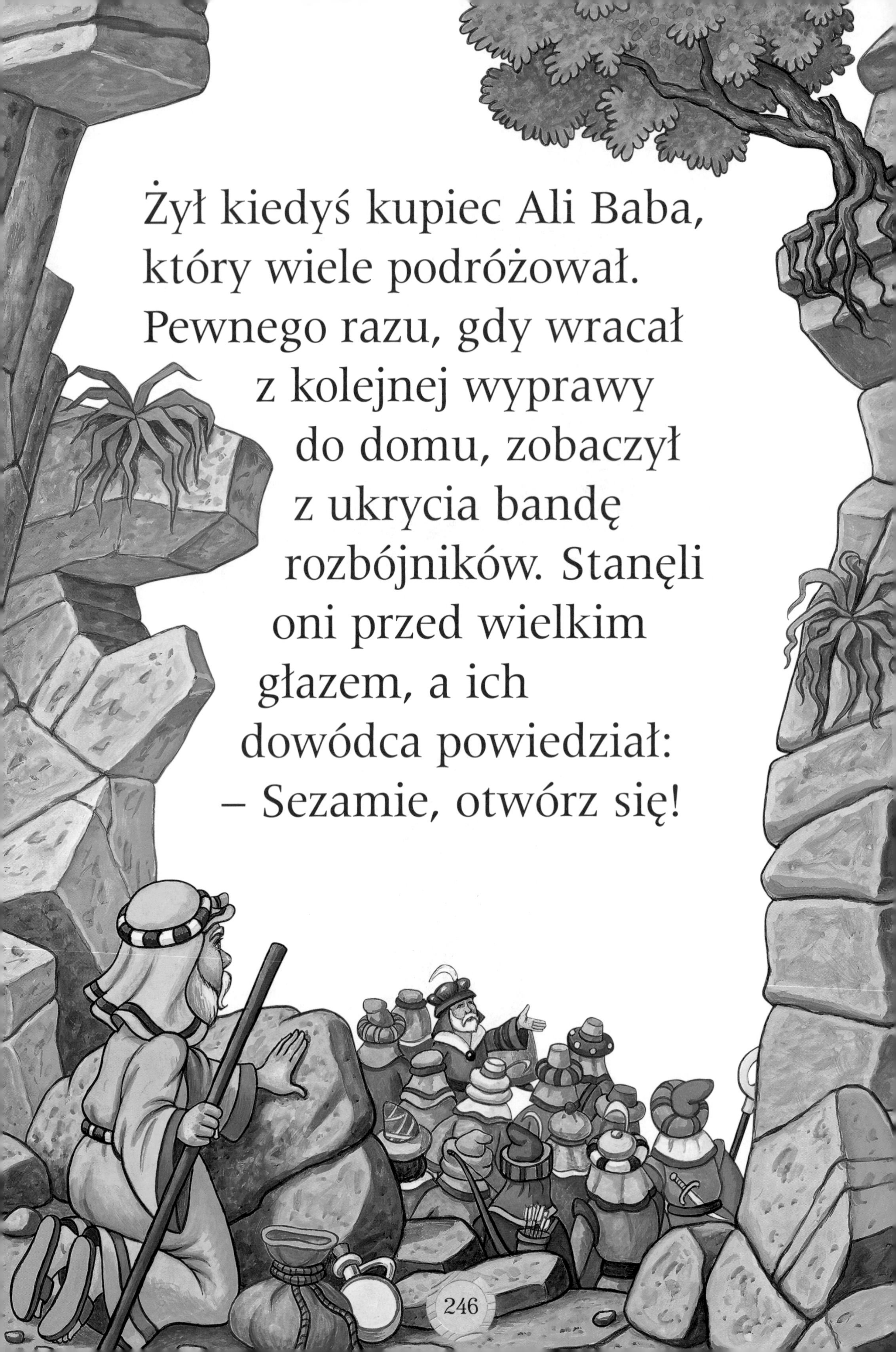

Żył kiedyś kupiec Ali Baba, który wiele podróżował. Pewnego razu, gdy wracał z kolejnej wyprawy do domu, zobaczył z ukrycia bandę rozbójników. Stanęli oni przed wielkim głazem, a ich dowódca powiedział:

– Sezamie, otwórz się!

Wówczas kamień
odsłonił wejście
do jaskini pełnej
skarbów.

Kiedy zbójcy odjechali, kupiec sam wymówił zaklęcie. Wszedł do groty i wyniósł z niej kilka worków złotych monet. Załadował je na osły i zawiózł do domu.

– Tych pieniędzy jest tak dużo, że nie starczy nam życia, by je policzyć – powiedziała żona Ali Baby. – Pożyczę dzbany od twojego brata i nimi odmierzymy złoto. Trzeba jednak całą rzecz zachować w tajemnicy.

Jak postanowiła, tak uczynili. Nie zauważyli jednak, że na dnie jednego z naczyń, gdy je oddawali, pozostała złota moneta.

Brat Ali Baby znalazł ją. Musieli mu wszystko opowiedzieć. Wkrótce sam poszedł do jaskini po skarby.

Na nieszczęście zbójcy, którzy już wcześniej spostrzegli, że ktoś ich okradł, przyłapali go i groźbami zmusili, by zdradził, kto odkrył ich tajemny schowek.

Czterdziestu rozbójników ukryło się w wielkich dzbanach na oliwę, a herszt, podając się za zamorskiego handlarza, zawiózł ich na wozie do domu Ali Baby. Udawał, że chce ubić z nim interes, ale tak naprawdę pragnął się zemścić. Gospodarz zaprosił go do środka.

Na szczęście żona kupca, przechodząc obok dzbanów, usłyszała cichy szept:
– Czy to już? – pytał jeden z rozbójników.
Kobieta domyśliła się podstępu. Przyniosła wrzącą oliwę i wlała ją do dzbanów. W ten sposób wszyscy ukryci w nich zbóje zginęli.

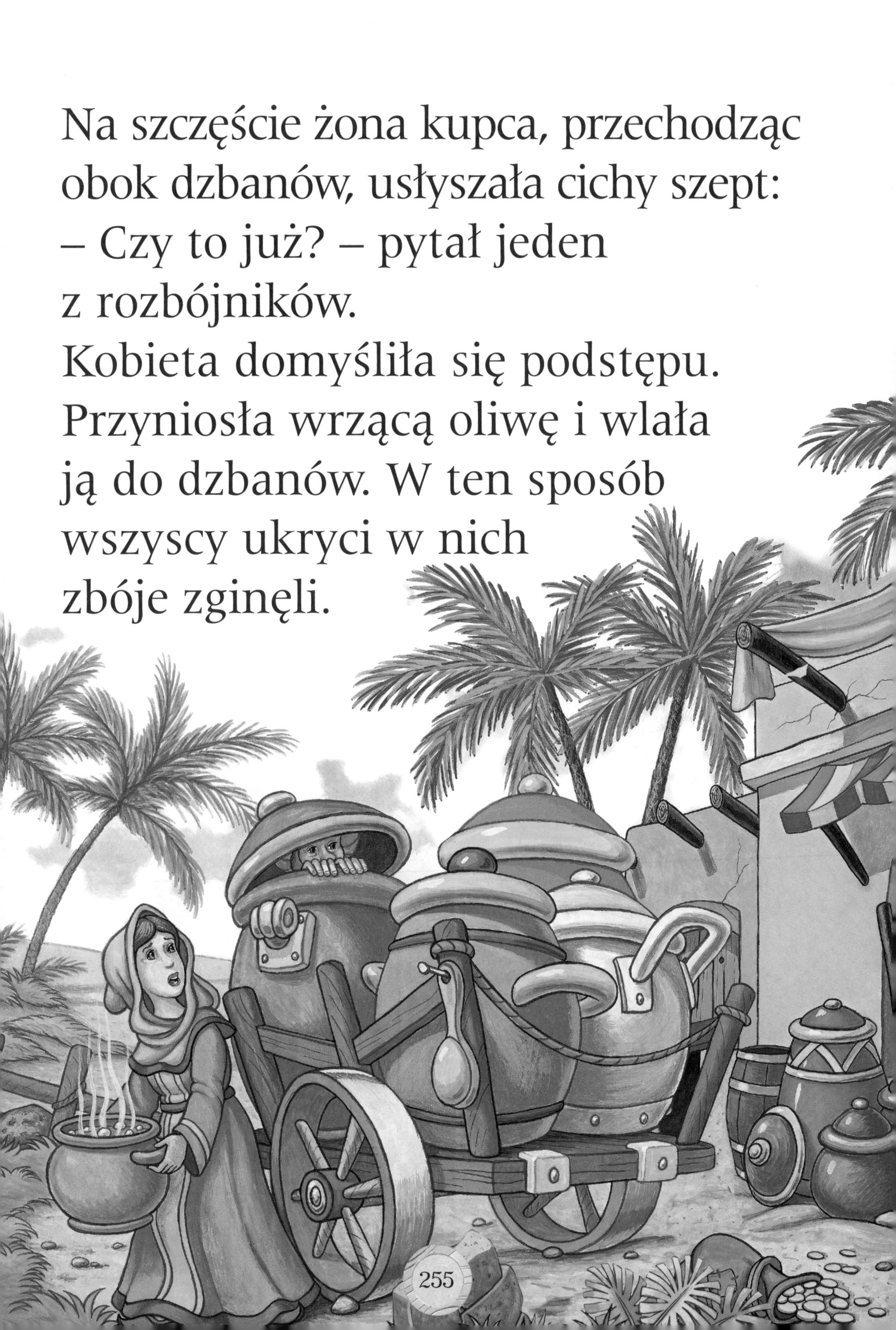

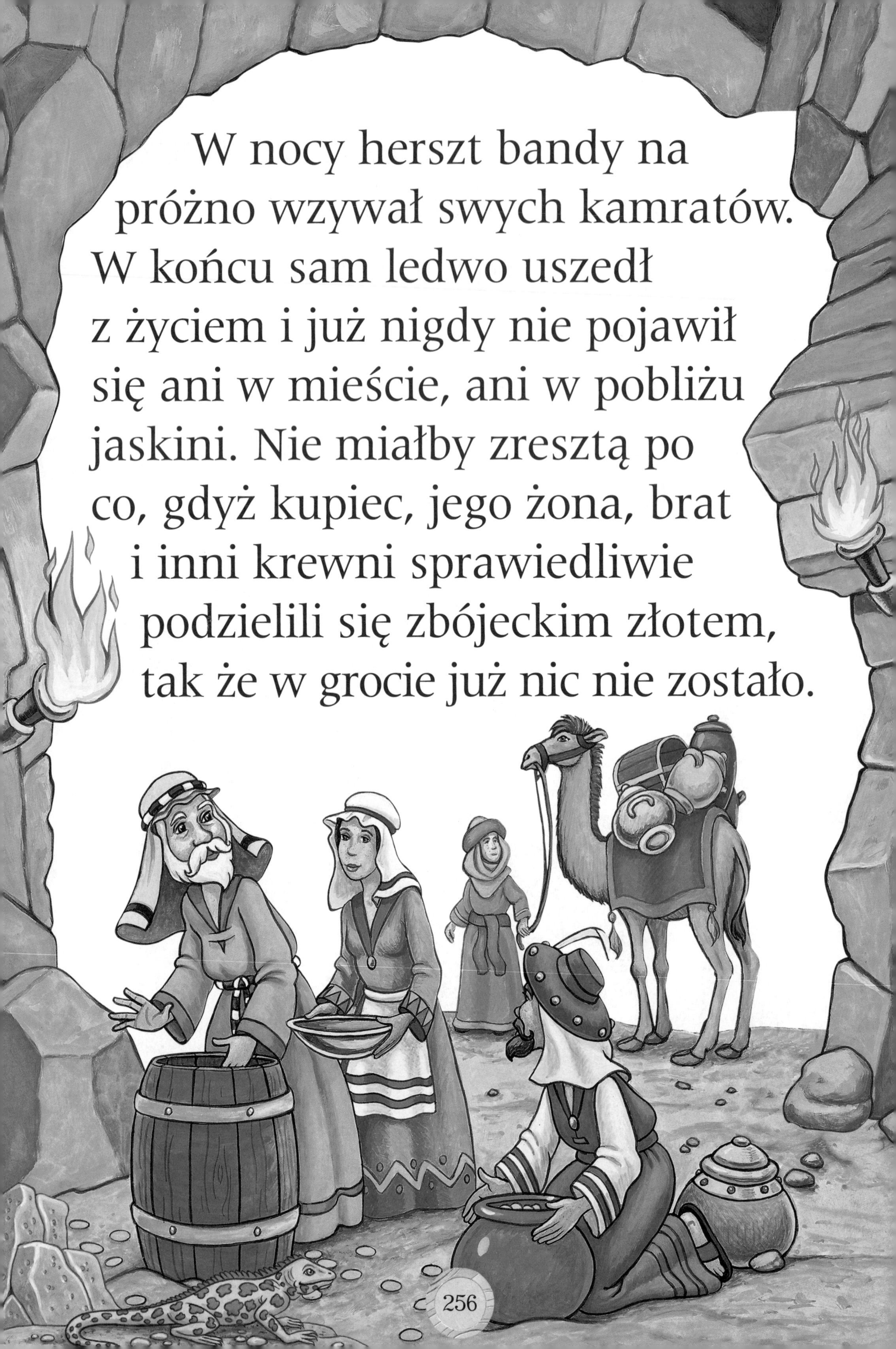

W nocy herszt bandy na próżno wzywał swych kamratów. W końcu sam ledwo uszedł z życiem i już nigdy nie pojawił się ani w mieście, ani w pobliżu jaskini. Nie miałby zresztą po co, gdyż kupiec, jego żona, brat i inni krewni sprawiedliwie podzielili się zbójeckim złotem, tak że w grocie już nic nie zostało.

Księżniczka na ziarnku grochu

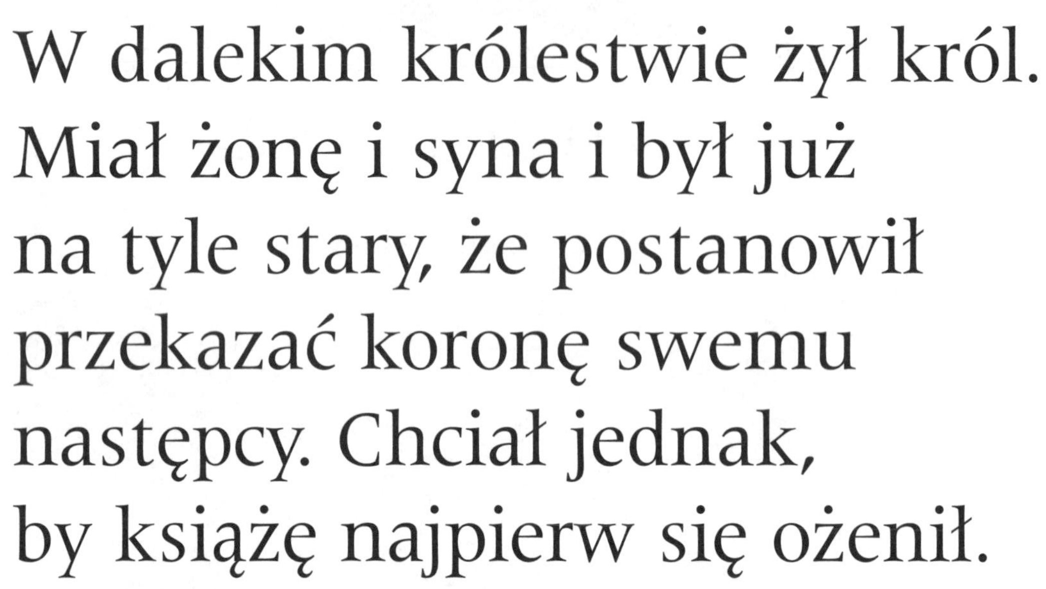

W dalekim królestwie żył król. Miał żonę i syna i był już na tyle stary, że postanowił przekazać koronę swemu następcy. Chciał jednak, by książę najpierw się ożenił.

Zapraszał więc do zamku najpiękniejsze królewny z sąsiednich państw i najbardziej urodziwe damy ze swego kraju. Żadna nie spodobała się monarszemu synowi.

Królowa matka przyznawała mu rację.

– Nie sądzę, by były naprawdę szlachetnie urodzone – mówiła.

Sama rozmawiała z zaproszonymi dziewczętami.

Pytała na przykład:
– Jak długo gotuje się jajko?
A kiedy padała odpowiedź,
odprawiała rozmówczynię, mówiąc:
– Prawdziwe księżniczki
nie mają pojęcia o takich rzeczach.
Nie muszą przecież zajmować się
gotowaniem jajek.

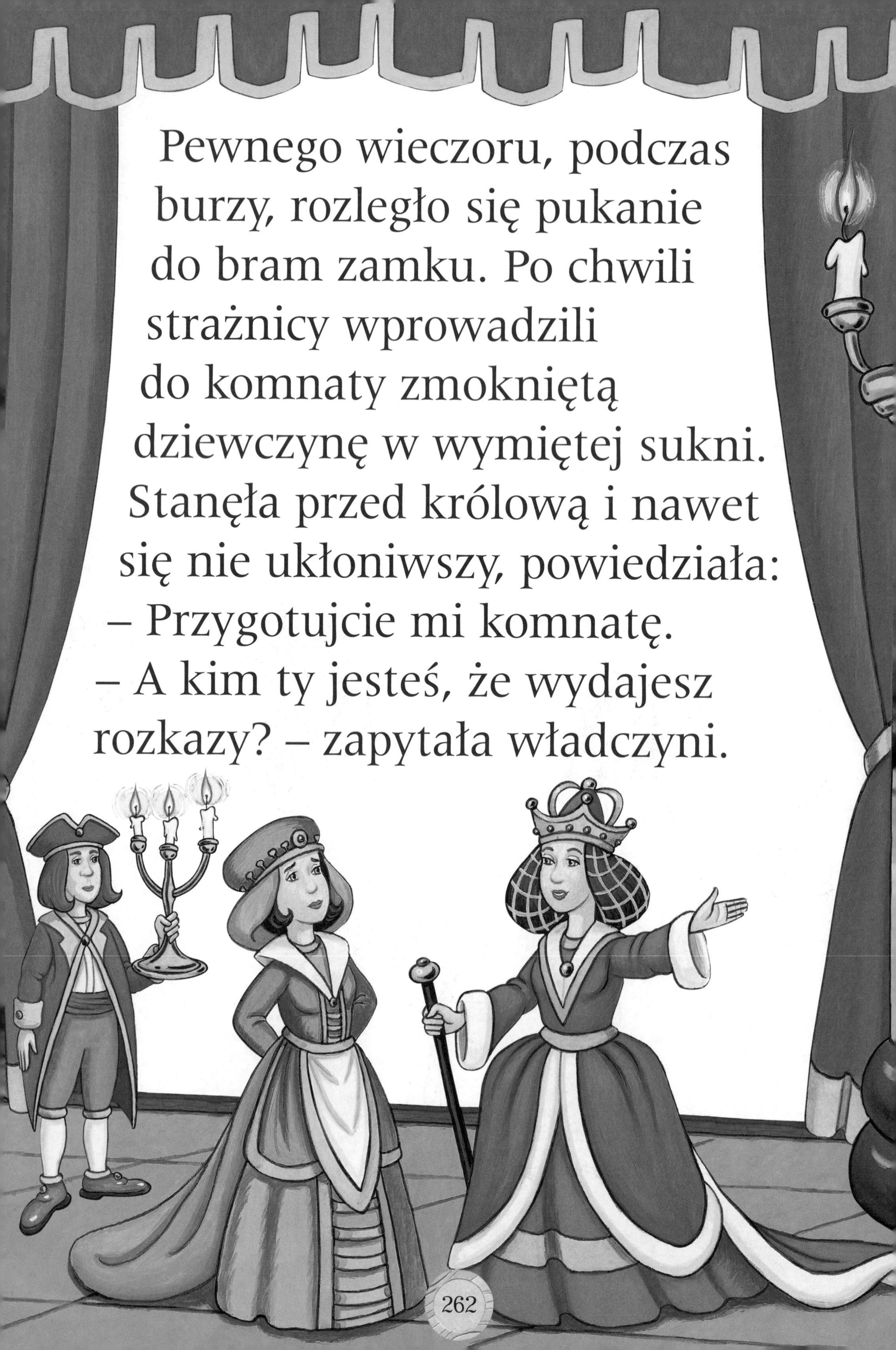

Pewnego wieczoru, podczas burzy, rozległo się pukanie do bram zamku. Po chwili strażnicy wprowadzili do komnaty zmokniętą dziewczynę w wymiętej sukni. Stanęła przed królową i nawet się nie ukłoniwszy, powiedziała:

– Przygotujcie mi komnatę.

– A kim ty jesteś, że wydajesz rozkazy? – zapytała władczyni.

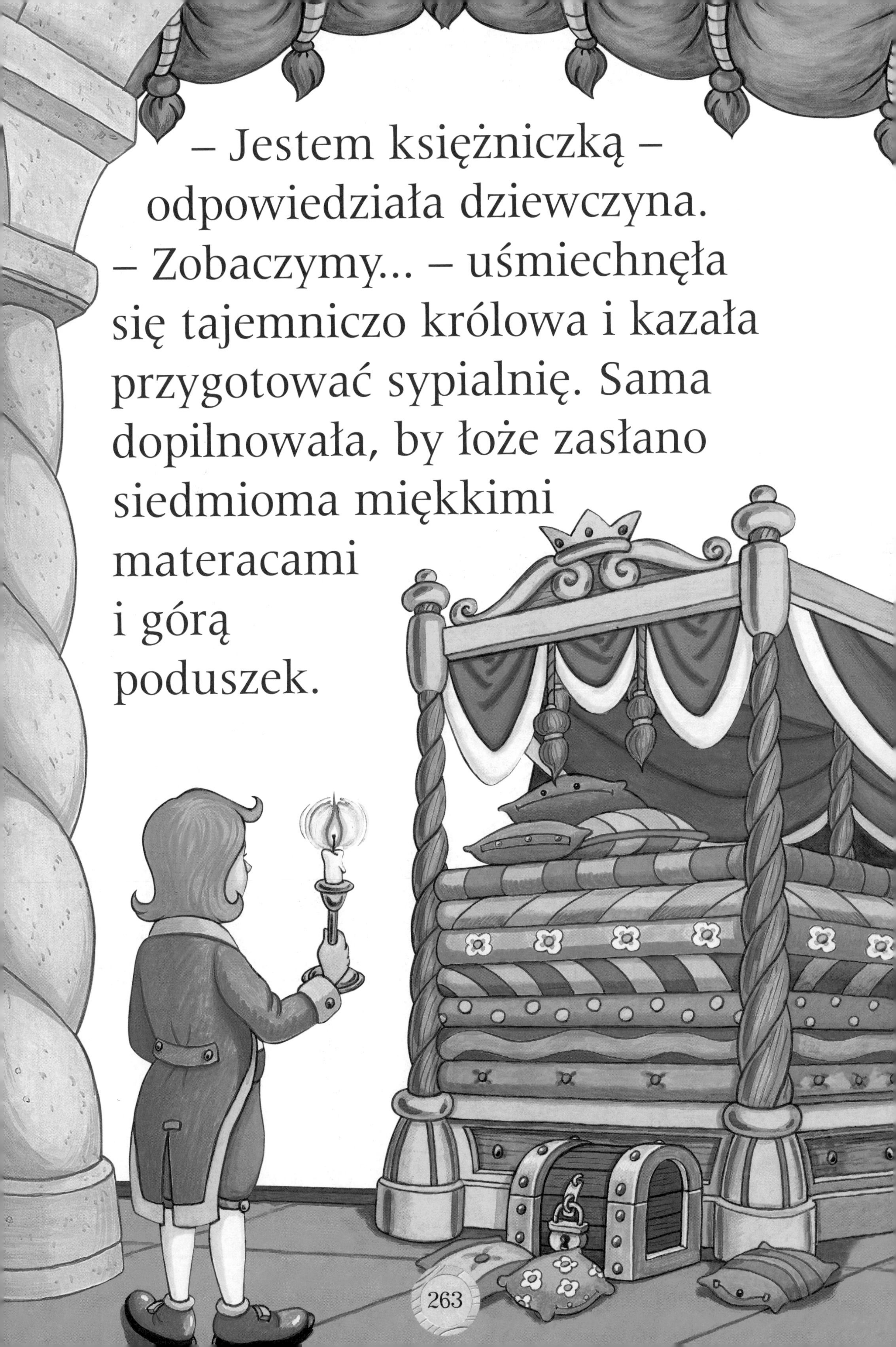

– Jestem księżniczką – odpowiedziała dziewczyna. – Zobaczymy... – uśmiechnęła się tajemniczo królowa i kazała przygotować sypialnię. Sama dopilnowała, by łoże zasłano siedmioma miękkimi materacami i górą poduszek.

Następnego dnia rano dziewczyna długo kazała na siebie czekać ze śniadaniem. Gdy w końcu zeszła do jadalni, miała sińce pod oczami i wyglądała na zmęczoną.

– Jak ci się spało? – zapytała uprzejmie królowa.
– Nie mogłam zmrużyć oka – powiedziała dziewczyna. – Spałam na kilku materacach i poduszkach, ale coś mnie strasznie uwierało.

Władczyni klasnęła
w dłonie z zadowolenia.
– Tak! Teraz wiem,
że nie kłamiesz –
oświadczyła. – Sama
włożyłam ziarnko grochu
pod materac. Tylko prawdziwa
księżniczka jest tak delikatna,
że przeszkadza
jej ono spać.

Później rozkazała przygotować dla dziewczyny nowe suknie i poprosiła ją, by odpoczęła, tym razem bez ziarnka grochu pod materacem. Kiedy księżniczka przyszła na obiad, była tak piękna, że młody książę od razu się w niej zakochał.

Wkrótce odbyło się huczne wesele. A potem wszyscy żyli długo i szczęśliwie.

Jaś i ziarenka fasoli

Uboga wdowa wysłała swego syna Jasia na targ, by sprzedał ostatnią krowę. Po drodze zaczepił go starzec.
– Dam ci za tę krowę ziarna fasoli – powiedział.
– Może i krasula nie jest tłusta, ale na targu dostanę za nią pieniądze, a nie fasolę – odparł Jaś.

Jednak nikt
nie chciał kupić
krowy. Kiedy wracając,
znów spotkał starca,
wziął od niego ziarna.
– Dobrze robisz – usłyszał
na odchodnym.

Myślał o tym, że matka ugotuje dla niego zupę fasolową. Ale wdowa skarciła jedynaka i w złości wyrzuciła ziarna za okno.

Nad ranem Jaś zerwał się zdumiony z łóżka, oto bowiem przez okno wdzierały się do izby olbrzymie pędy fasoli. Wyrosły z ziaren, które dostał od starca.

„Są jak drzewa" – pomyślał
i wspiął się po grubej łodydze…
aż do tajemniczej krainy.
Wierzchołek fasoli sięgał bram
potężnego zamku.

Chłopiec na palcach wszedł do środka. W komnacie, przy stole, drzemał olbrzym. Był wielki jak góra. Przed nim leżała sakiewka ze złotem – ogromna jak wór mąki.

Jaś, jak mógł najciszej, zarzucił sobie worek na plecy i wymknął się z komnaty. Na nieszczęście trącił drzwi, które głośno skrzypnęły.

– Aaaa! – ryknął olbrzym. – Kto tu jest? Co się dzieje? Gdzie moje złoto?!
Dostrzegł chłopaka i rzucił się za nim w pogoń.

– Trrrach! Trrrach! – trzeszczała fasola pod jego stopami.

– Szuuu – ześlizgiwał się zwinnie Jaś. Wielkolud był tuż-tuż. Już miał dosięgnąć chłopca, gdy fasola złamała się pod jego ciężarem. Syn wdowy był uratowany!

Sakiewkę olbrzyma oddał matce, a było w niej tyle złota, że już nigdy nie cierpieli niedostatku.

– Miał rację starzec – powiedział do siebie Jaś. – Dobrze zrobiłem, zamieniając krowę na kilka ziaren fasoli.

Kruk i lis

Pewnego jesiennego dnia wielkiemu czarnemu krukowi udało się ukraść z chłopskiego stołu kawał sera. Trzymając go mocno w dziobie,

odleciał czym prędzej na gałąź
starego cyprysowego drzewa.
Usadowił się wygodnie na
gałęzi. Już miał zabrać się
do smacznego posiłku,
gdy nagle pod drzewem
pojawił się rudy lis.
Lis spojrzał w górę,
poczuł smakowity,
ostry zapach sera
i w żołądku
zaburczało mu
z głodu.

Kruk patrzył podejrzliwie
na lisa z góry, a ser mocno
ściskał w dziobie. Tymczasem
lis usiadł pod drzewem
i wlepił w czarne ptaszysko
wzrok pełen uwielbienia.

– Ależ z ciebie piękny kruk! Doprawdy, nie widziałem szlachetniejszego i godniejszego ptaka – odezwał się słodkim głosem. – A jaki masz mocny i lśniący dziób! Od razu widać, że się ma do czynienia z ptakiem ze szlachetnego, królewskiego rodu – przymilał się dalej głodny zwierz.

Kruk napuszył się z zadowolenia. Nigdy przedtem nikt tak go nie chwalił. Lis prawił krukowi komplementy, a wielki czarny ptak niemal spuchł z dumy. Wreszcie chcąc pokazać lisowi, że naprawdę pochodzi z królewskiego rodu, rozpostarł skrzydła na całą ich szerokość i zatrzepotał nimi tak, aż zafalowały najmniejsze gałęzie.

– Jesteś doskonały, potężny, wspaniały i wielki. Naprawdę cię podziwiam i marzę o tym, by być twoim poddanym – zapiszczał lis, pełzając pod drzewem, niczym najbardziej wierny i służalczy poddany. – Jesteś wielki, piękny i groźny, ale do tej pory nie miałem okazji usłyszeć twego przepięknego śpiewu.

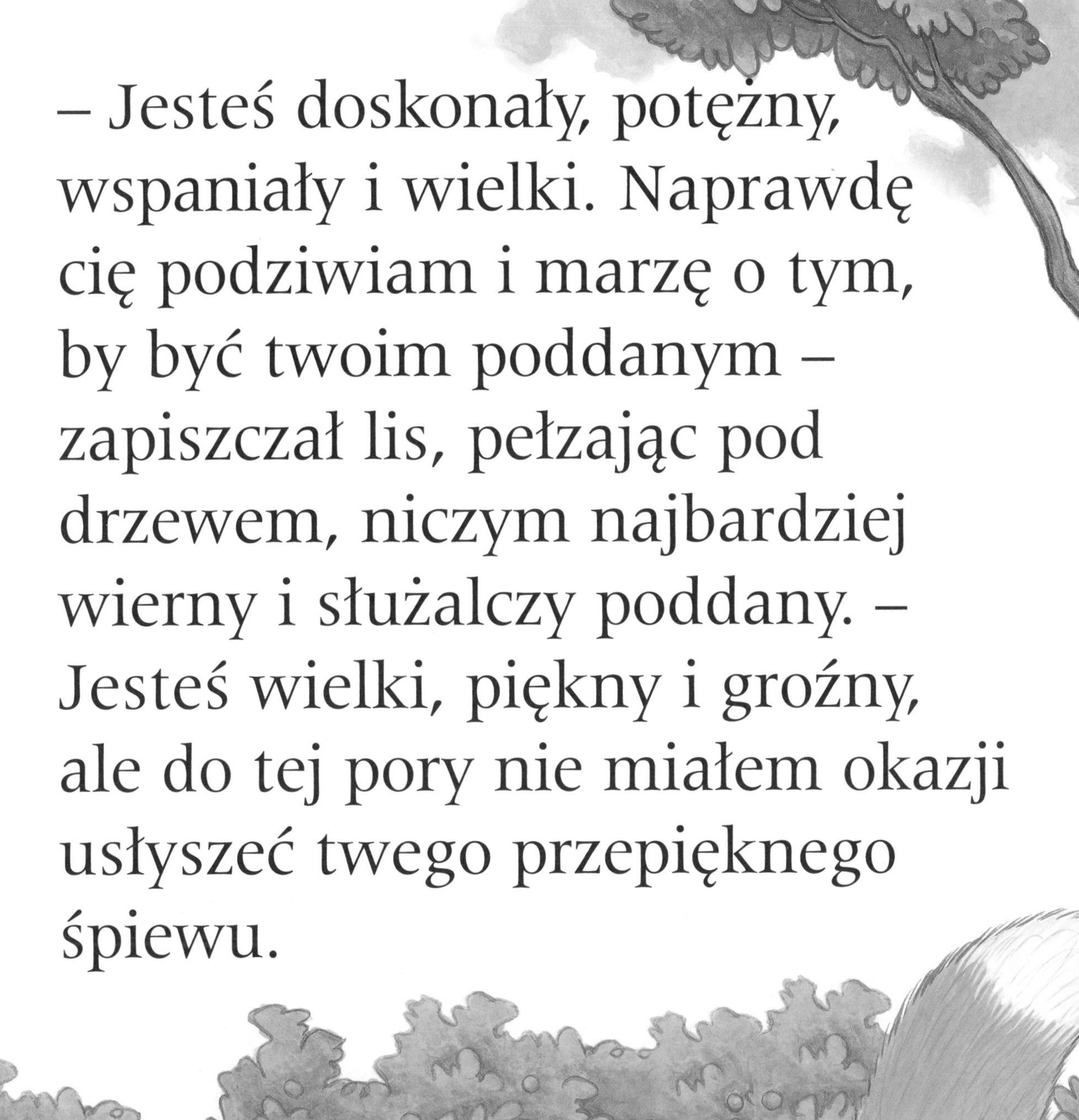

Na pewno twój głos brzmi niczym dzwon z czystego złota w świątyni Apollina. Proszę, zaśpiewaj dla mnie. To będzie nagroda za mą wierną służbę – przymilał się lis.

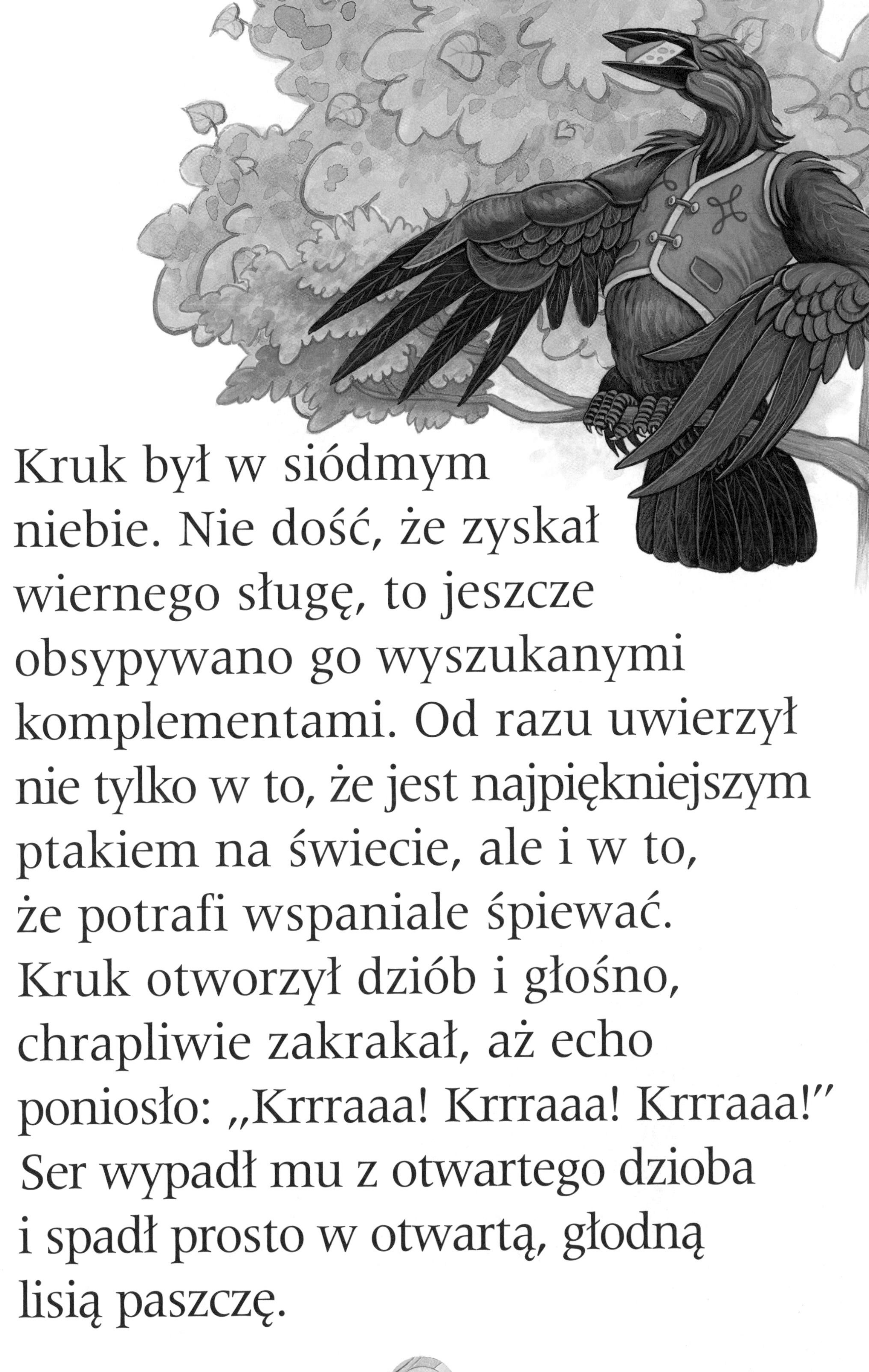

Kruk był w siódmym niebie. Nie dość, że zyskał wiernego sługę, to jeszcze obsypywano go wyszukanymi komplementami. Od razu uwierzył nie tylko w to, że jest najpiękniejszym ptakiem na świecie, ale i w to, że potrafi wspaniale śpiewać. Kruk otworzył dziób i głośno, chrapliwie zakrakał, aż echo poniosło: „Krrraaa! Krrraaa! Krrraaa!" Ser wypadł mu z otwartego dzioba i spadł prosto w otwartą, głodną lisią paszczę.

Lis błyskawicznie
pogryzł i połknął ser.
A potem, czując jak smakołyk
przyjemnie wypełnia mu
żołądek, spojrzał w górę,
ku krukowi, który z głupią
miną wypatrywał w dole
upuszczonego sera.

– Głupi kruku! Nie tylko jesteś najbrzydszym i najbardziej niezgrabnym ptakiem, jakiego spotkałem, to jeszcze jesteś głupi, próżny i głodny. I dobrze ci tak – krzyknął lis i spokojnie powędrował do lasu.

Tak to bywa, gdy ktoś jest łasy
na pochwały i komplementy.
Słuchając fałszywych pochlebców,
łatwo straci wszystko, co ma.
A w dodatku wyjdzie na głupca
i będzie pośmiewiskiem dla
innych. A to jest chyba jeszcze
gorsze niż utrata sera.

Dziewczynka z zapałkami

Historia ta wydarzyła się ostatniego dnia starego roku. Ulicami pewnego wielkiego miasta wędrowała odziana w łachmany dziewczynka.

Jej rodzice byli bardzo ubodzy,
a ojciec w dodatku stracił pracę,
zarabiała więc na kawałek chleba,
sprzedając zapałki.
Było mroźno i sypał gęsty
śnieg. Otuleni w ciepłe futra
przechodnie mijali ją
obojętnie. Niestety,
nikt nie potrzebował
zapałek.

Wieczorem zmęczona dziewczynka schowała się za załomem muru i zapaliła jedną zapałkę, żeby rozgrzać zmarznięte dłonie. Przymknęła na moment oczy, a gdy je ponownie otworzyła, ujrzała wielki kominek, w którym wesoło trzaskał ogień.

– Och, jak cudownie – szepnęła z zachwytem, zbliżając drobne rączki do płomienia.
W tej samej chwili jednak nagły podmuch wiatru zgasił zapałkę i czar prysnął.

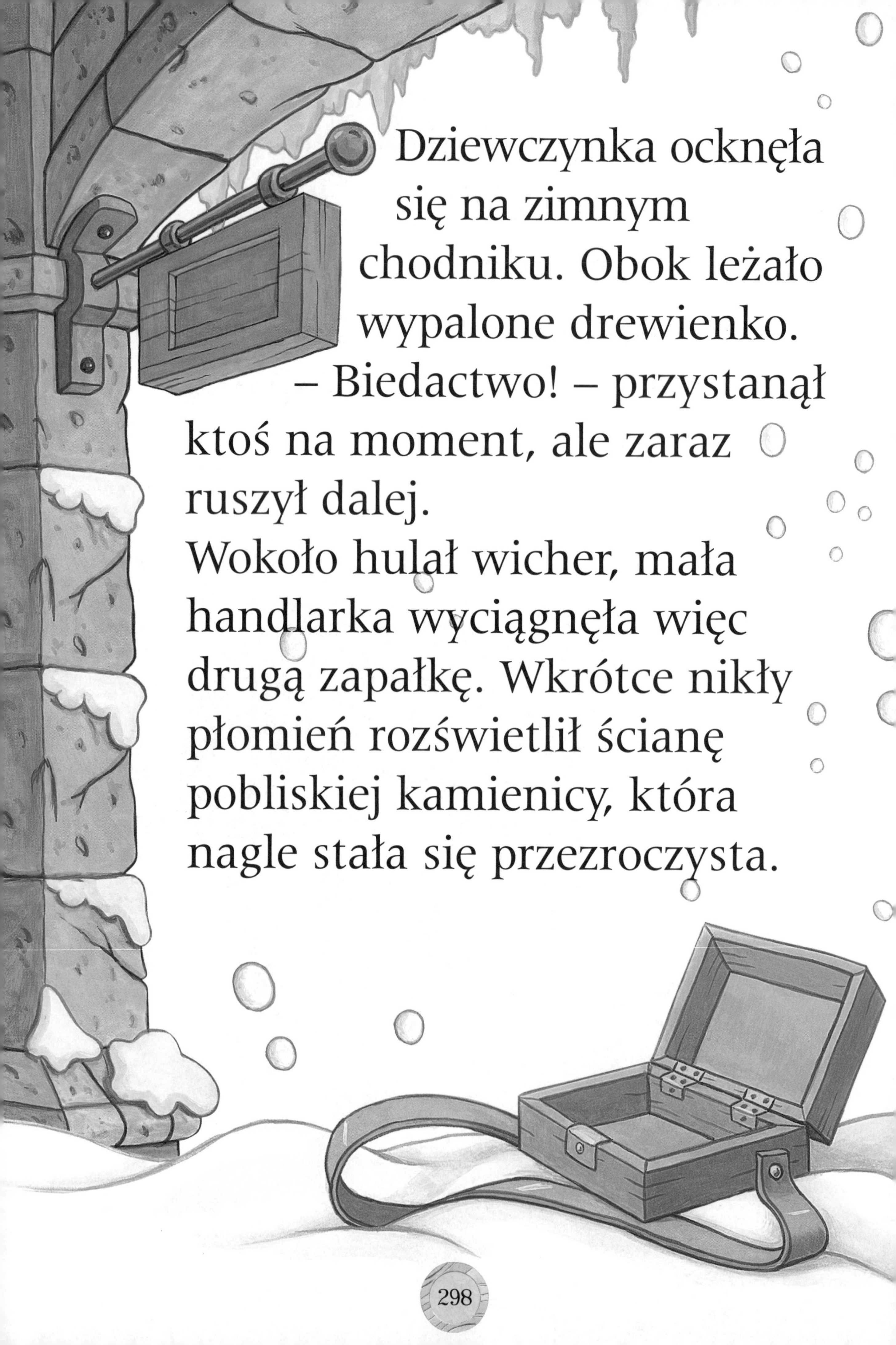

Dziewczynka ocknęła
się na zimnym
chodniku. Obok leżało
wypalone drewienko.
– Biedactwo! – przystanął
ktoś na moment, ale zaraz
ruszył dalej.
Wokoło hulał wicher, mała
handlarka wyciągnęła więc
drugą zapałkę. Wkrótce nikły
płomień rozświetlił ścianę
pobliskiej kamienicy, która
nagle stała się przezroczysta.

Oczom dziewczynki ukazało się przytulne wnętrze pokoju jadalnego i suto zastawiony stół. „Ja chyba śnię" – pomyślała. Gdy jednak wyciągnęła rękę po kawałek ciasta, zapałka zgasła i wszystko zniknęło.

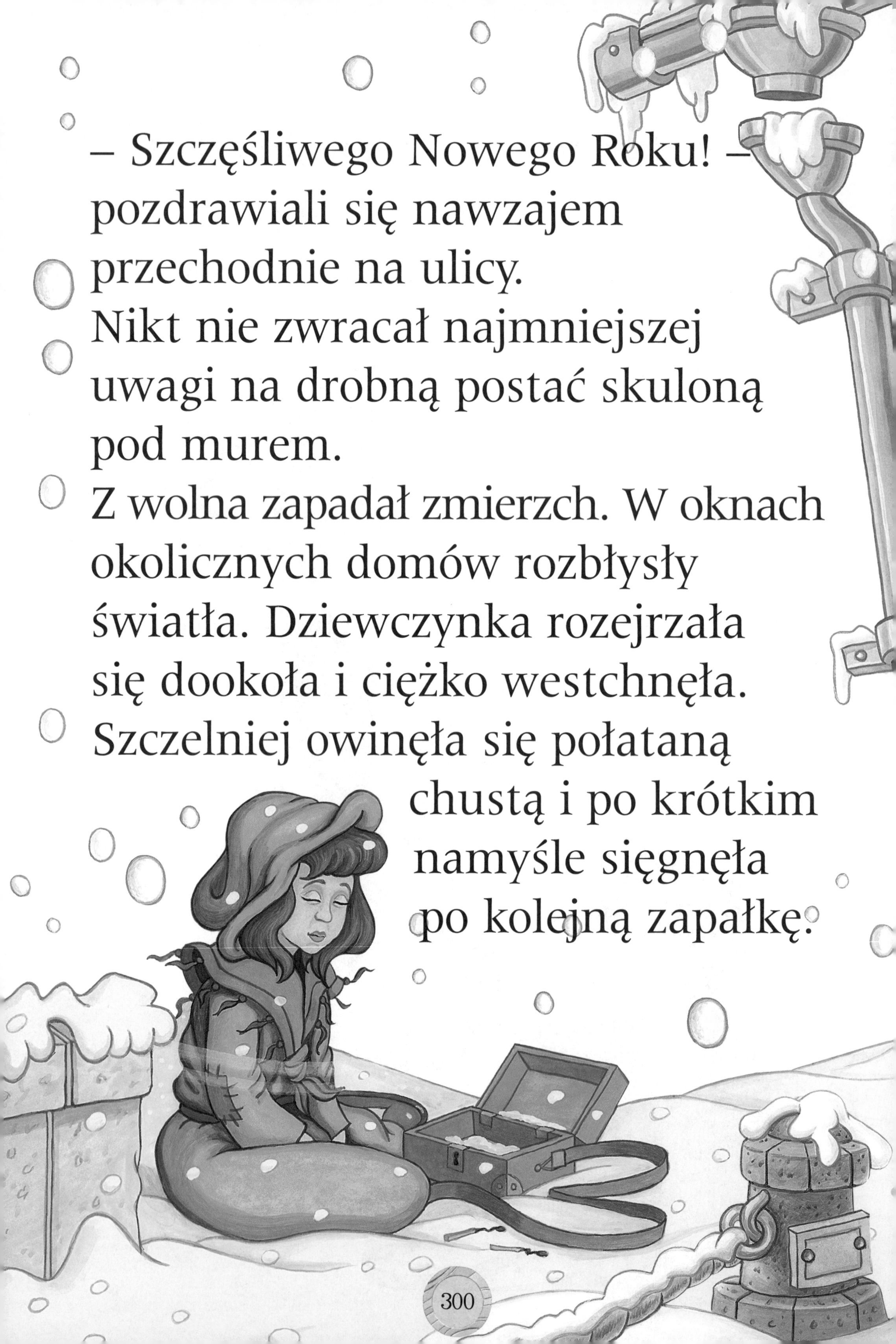

– Szczęśliwego Nowego Roku! – pozdrawiali się nawzajem przechodnie na ulicy.
Nikt nie zwracał najmniejszej uwagi na drobną postać skuloną pod murem.
Z wolna zapadał zmierzch. W oknach okolicznych domów rozbłysły światła. Dziewczynka rozejrzała się dookoła i ciężko westchnęła. Szczelniej owinęła się połataną chustą i po krótkim namyśle sięgnęła po kolejną zapałkę.

Tym razem płomyk wydobył
z ciemności cudnie przystrojoną,
jarzącą się blaskiem świec choinkę.
Chociaż Boże Narodzenie już minęło,
leżały pod nią pięknie
opakowane prezenty.

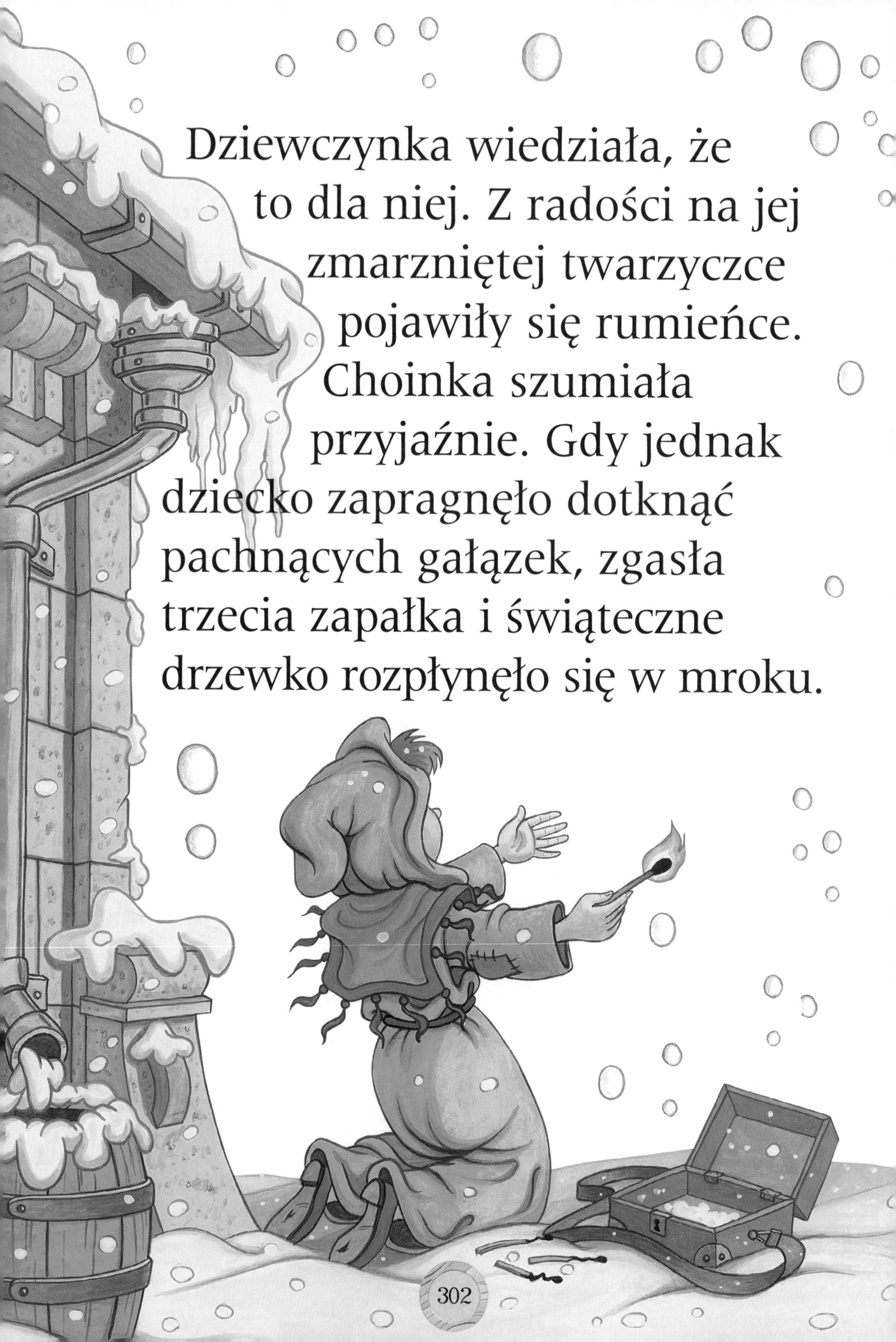

Dziewczynka wiedziała, że to dla niej. Z radości na jej zmarzniętej twarzyczce pojawiły się rumieńce. Choinka szumiała przyjaźnie. Gdy jednak dziecko zapragnęło dotknąć pachnących gałązek, zgasła trzecia zapałka i świąteczne drzewko rozpłynęło się w mroku.

Ulice opustoszały. Zbliżał się Nowy Rok. Dziewczynka spojrzała na rozgwieżdżone niebo. „Och, gdyby mogła tu ze mną być moja babcia” – pomyślała ze smutkiem.

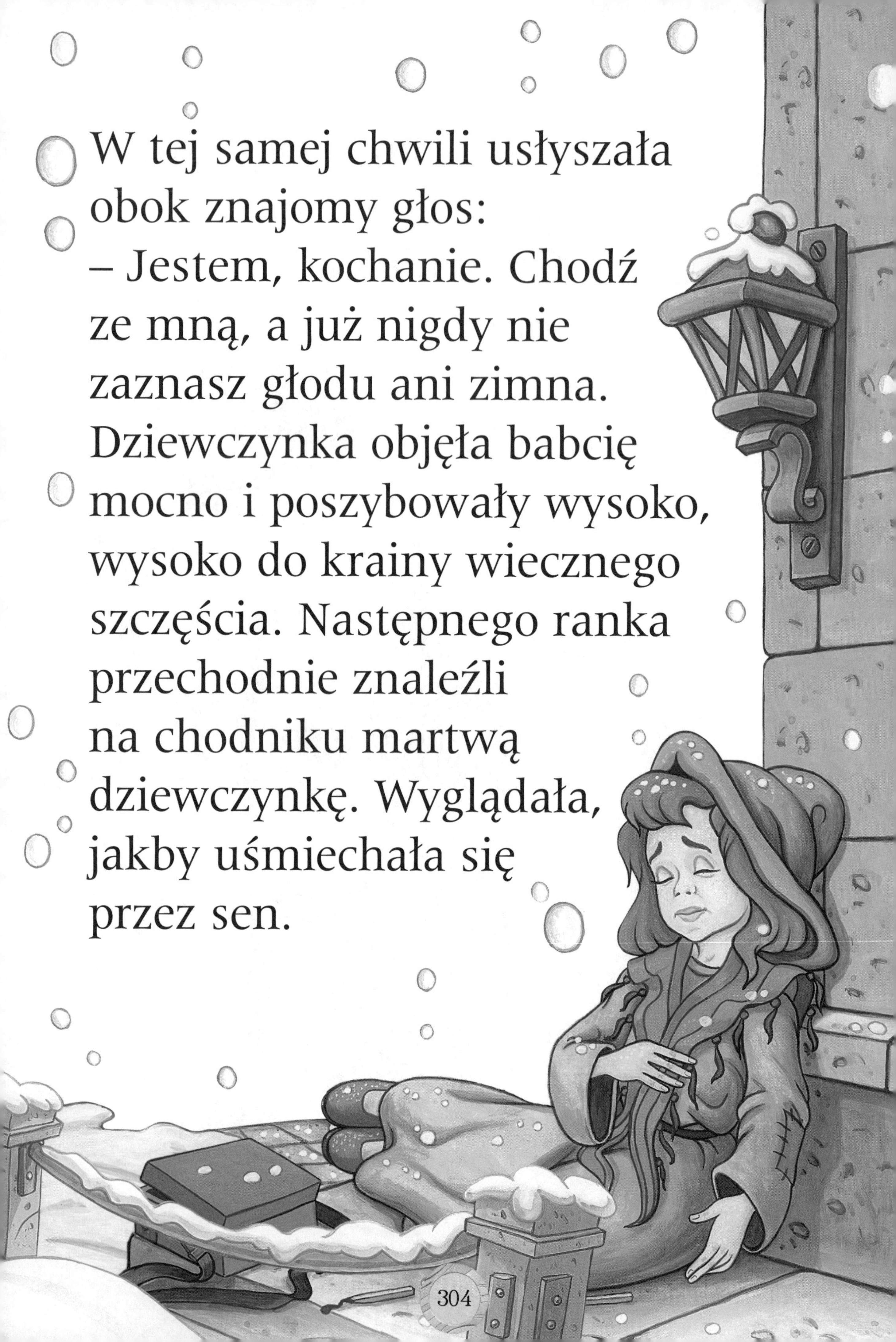

W tej samej chwili usłyszała obok znajomy głos:
– Jestem, kochanie. Chodź ze mną, a już nigdy nie zaznasz głodu ani zimna.
Dziewczynka objęła babcię mocno i poszybowały wysoko, wysoko do krainy wiecznego szczęścia. Następnego ranka przechodnie znaleźli na chodniku martwą dziewczynkę. Wyglądała, jakby uśmiechała się przez sen.

Kot w butach

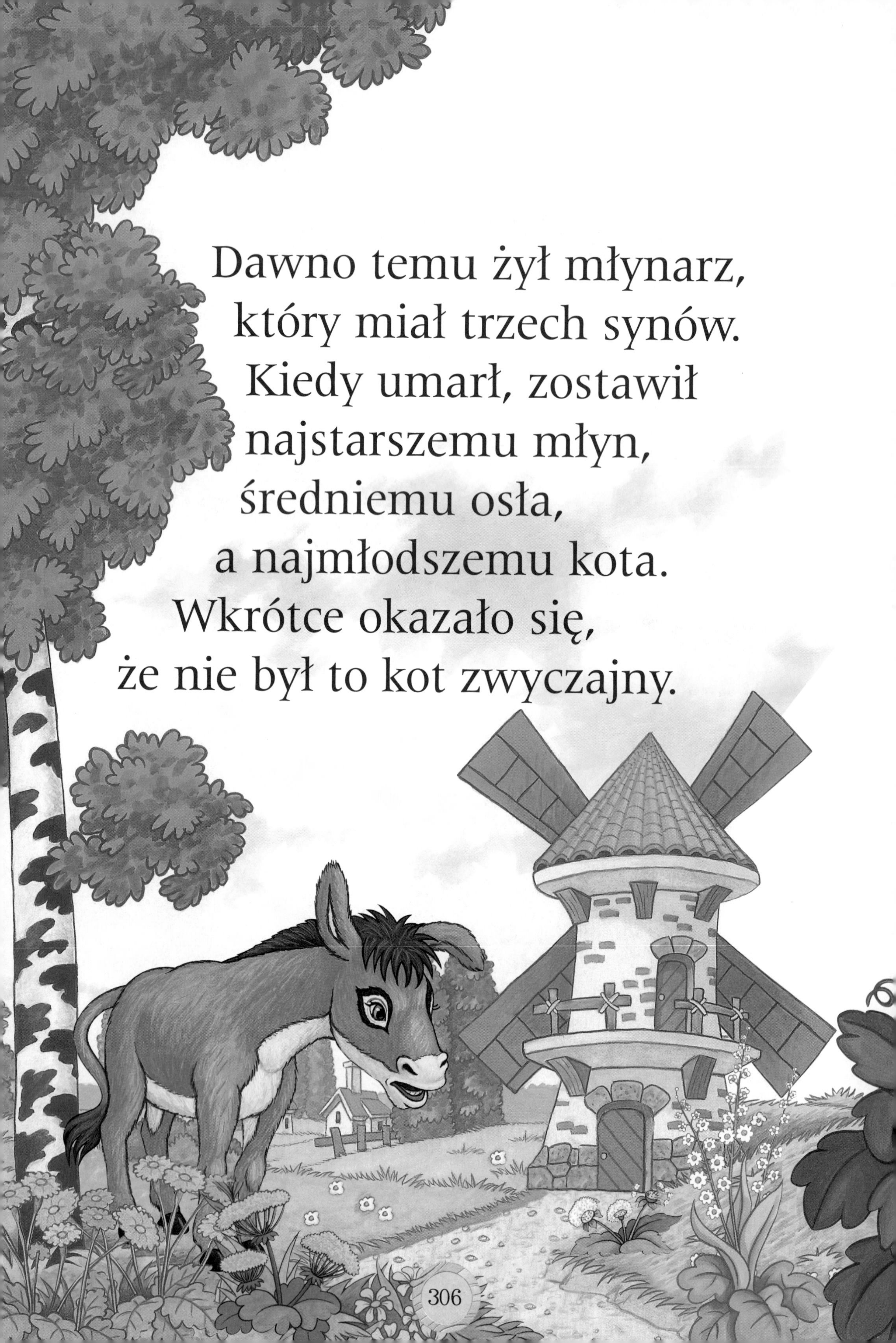

Dawno temu żył młynarz,
który miał trzech synów.
Kiedy umarł, zostawił
najstarszemu młyn,
średniemu osła,
a najmłodszemu kota.
Wkrótce okazało się,
że nie był to kot zwyczajny.

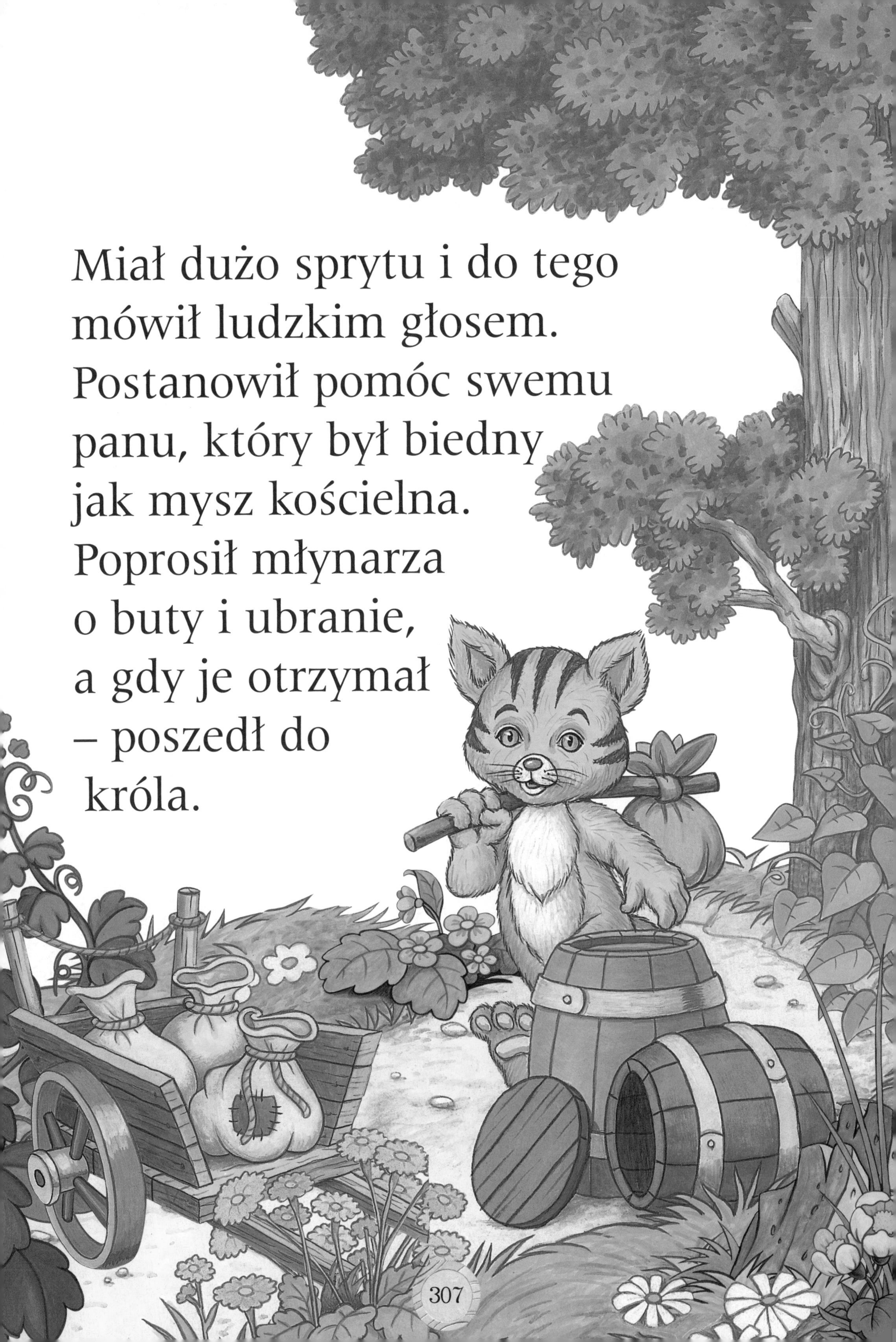

Miał dużo sprytu i do tego
mówił ludzkim głosem.
Postanowił pomóc swemu
panu, który był biedny
jak mysz kościelna.
Poprosił młynarza
o buty i ubranie,
a gdy je otrzymał
– poszedł do
króla.

Podarował mu dwie
dorodne kuropatwy
w imieniu swego władcy.
Zdumiony król chętnie

przyjął prezent od dziwnego posłańca. Nie znał wprawdzie jego pana, ale nie zapytał o nic, bo królom nie wypada pytać.

Następnego dnia,
kiedy król z córką jechali
karetą – kot stanął na gościńcu
i wołał o pomoc dla
swojego pana,
który tonął
w pobliskiej
rzece.

Strażnicy szybko wyciągnęli z wody kąpiącego się właśnie młynarczyka. Kot zdążył mu tylko szepnąć, żeby niczemu się nie dziwił. Młodzieńca osuszono, ubrano w książęce szaty i zaproszono do karety.

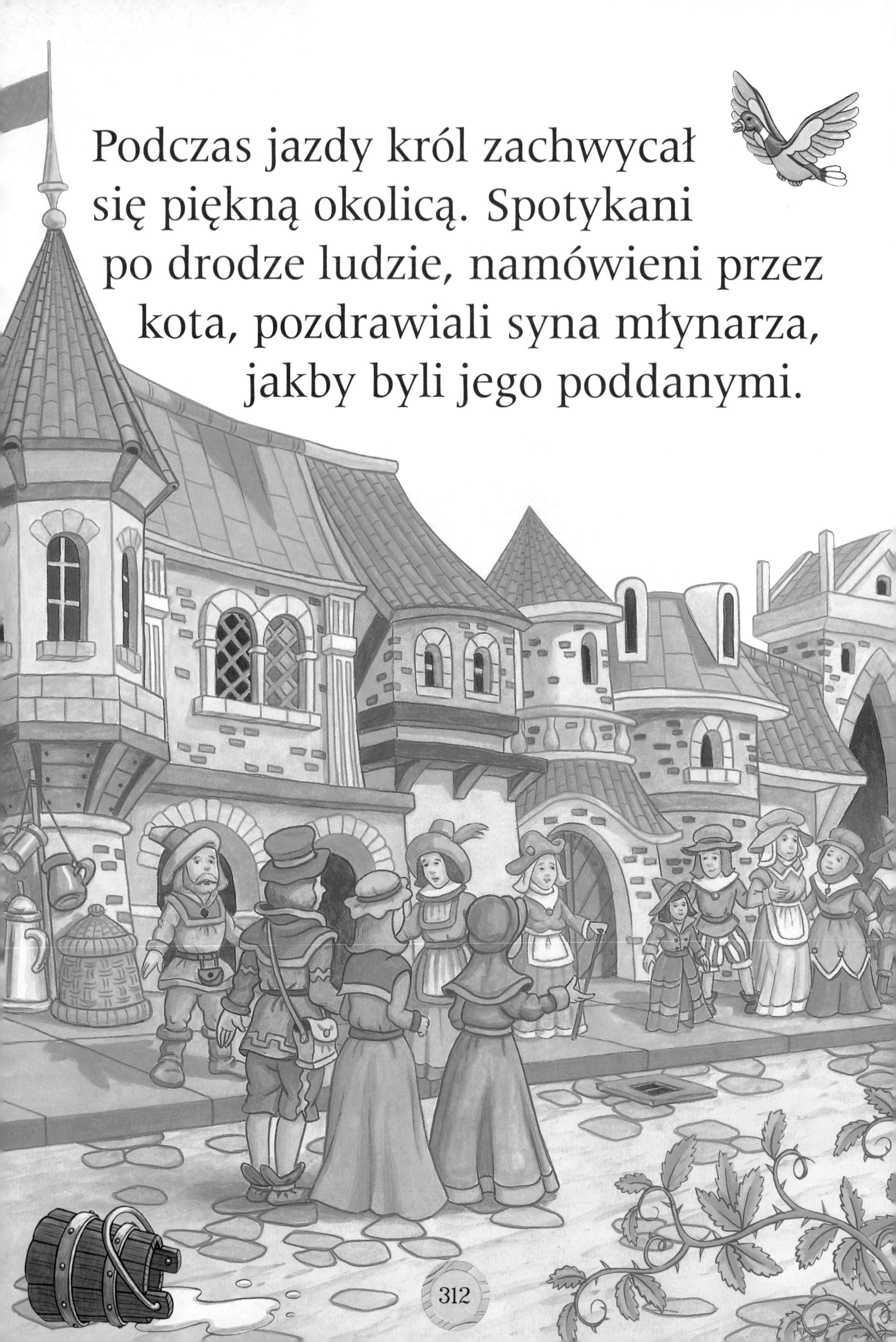

Podczas jazdy król zachwycał się piękną okolicą. Spotykani po drodze ludzie, namówieni przez kota, pozdrawiali syna młynarza, jakby byli jego poddanymi.

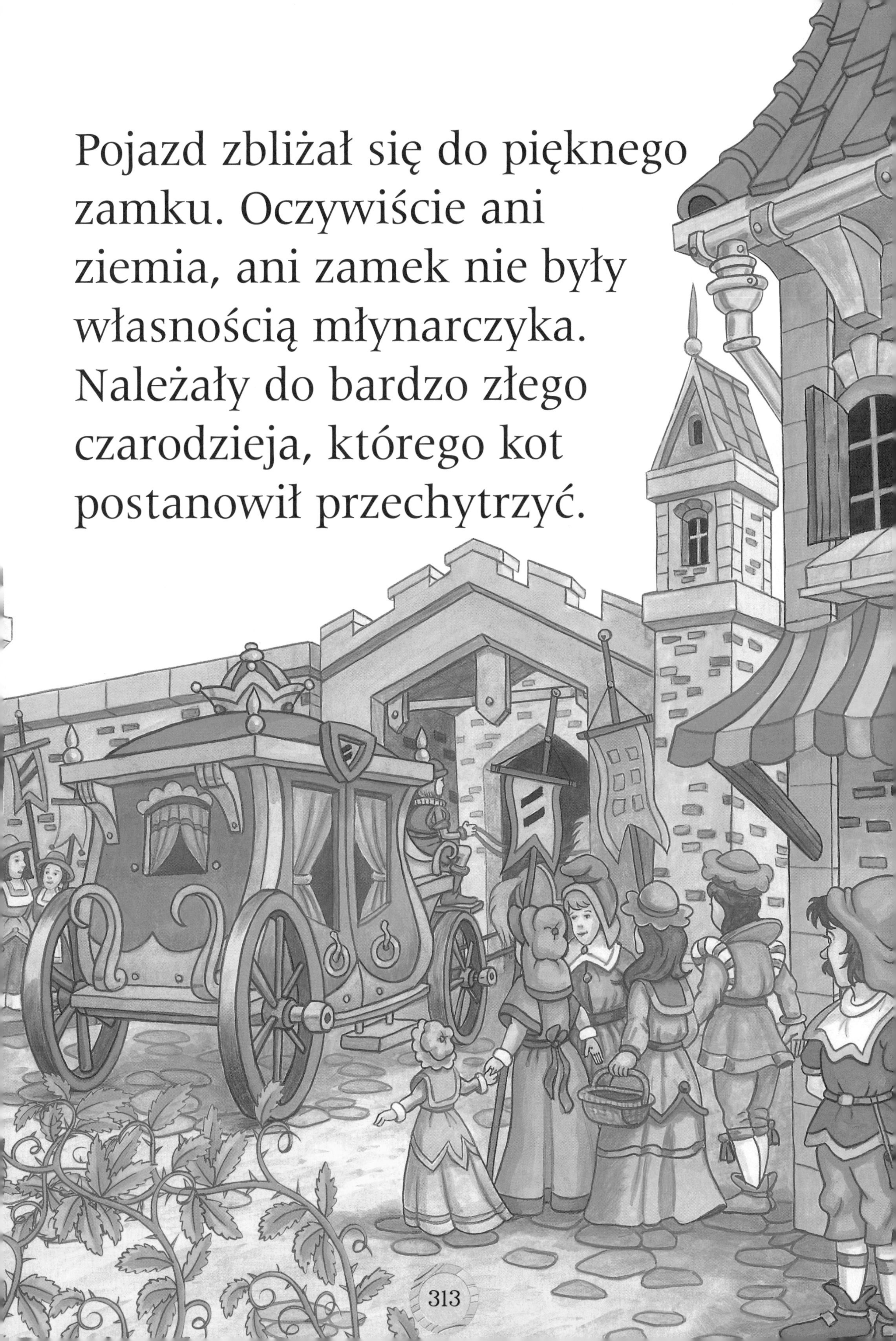

Pojazd zbliżał się do pięknego zamku. Oczywiście ani ziemia, ani zamek nie były własnością młynarczyka. Należały do bardzo złego czarodzieja, którego kot postanowił przechytrzyć.

Stanął przed obliczem maga
i zapytał, czy ktoś tak potężny
jak on mógłby zamienić się
w małą myszkę.

Gdy pan zamku na dowód swej mocy spełnił jego prośbę, kot połknął go. Teraz naprawdę i ziemie, i zamek należały do młynarczyka.

Król chętnie oddał młodzieńcowi rękę swojej córki, a potem wszyscy żyli długo i szczęśliwie.

Śnieżka

W małej wiosce na Syberii żyli sobie dziadek z babką. Mieli kota na piecu, krówkę w oborze, świnkę w chlewiku i gniazda jemiołuszek w słomianym dachu chałupki. Nie mieli tylko dzieci, co ich bardzo martwiło. Gdy nadeszła zima, śniegu spadło do pasa. Dzieciaki, wrzeszcząc z radości, wybiegły na

dwór ślizgać się na zamarzniętym stawie, rzucać śnieżkami, lepić bałwana. Żal się zrobiło staruszkom. Odwrócił się dziadek od okna, przez które na dzieciaki wyglądał.
– Co tak będziemy siedzieć? Chodź, żono, i my ulepmy sobie bałwanka – zaproponował.

– Bałwanka? A na co nam bałwan? Ciebie jednego w chałupie wystarczy. Ulepmy sobie śniegową córeczkę – odpowiedziała babka, włożyła walonki i wyszli z dziadkiem na śnieg.

Ulepili śniegową córeczkę. Zrobili jej dołeczki w policzkach, w miejsce oczu wstawili błękitne kawałki lodowych sopli, a na usta wykorzystali pół czerwonego jesiennego jabłuszka. Potem stanęli, by podziwiać swe dzieło.

– Piękną mamy córeczkę, żonko – sapnął dziadek.

– Ba! Urodę ma po mnie – odpowiedziała babka.

Aż tu nagle śniegowa dziewczynka uśmiechnęła się czerwonymi usteczkami, zamrugała błękitnymi oczętami. Śnieżnobiałe rączki wyciągnęła do staruszków i śpiewając wesoło, pobiegła do chaty.

– Dziadku, mamy prawdziwą córeczkę! – popłakała się ze szczęścia babka.

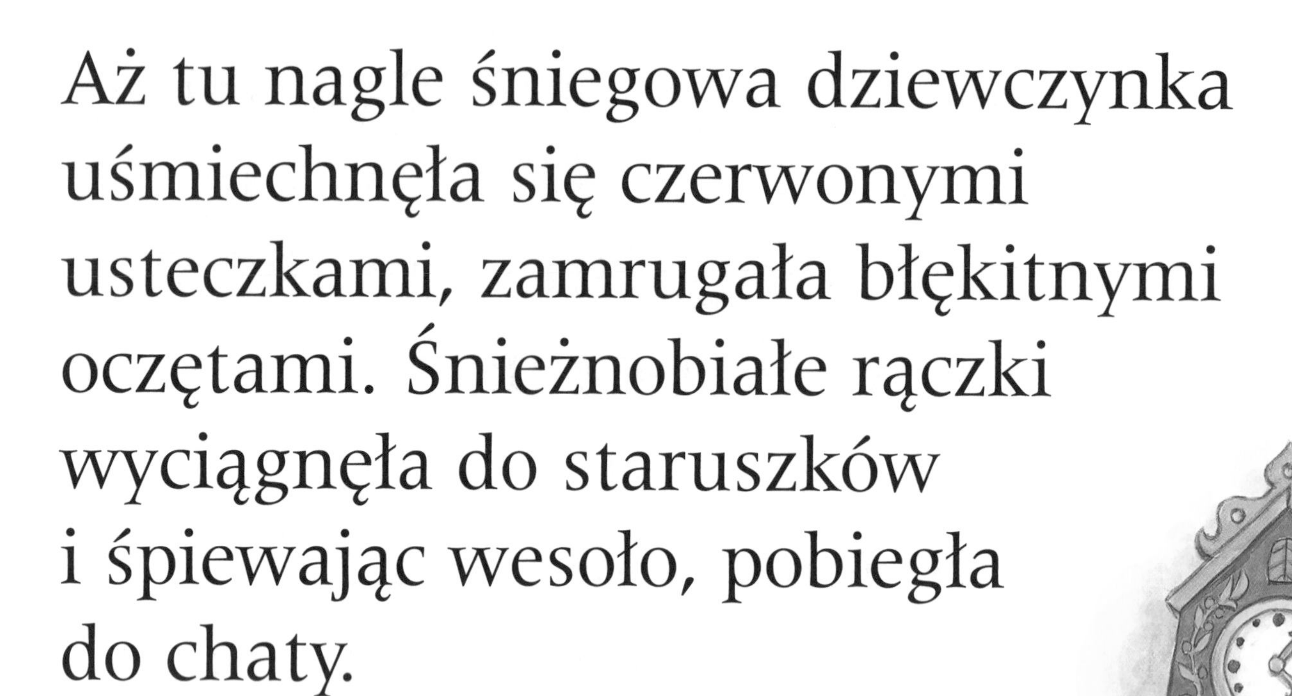

A Śnieżka rosła jak na drożdżach. Jeszcze tego samego dnia z dziecka przemieniła się w piękną dziewczynę. Nie mogli staruszkowie nacieszyć się córką. Przez całą zimę pomagała im w domu i w obejściu. Od rana do wieczora wesoło śpiewała i zagadywała swoich stareńkich rodziców.

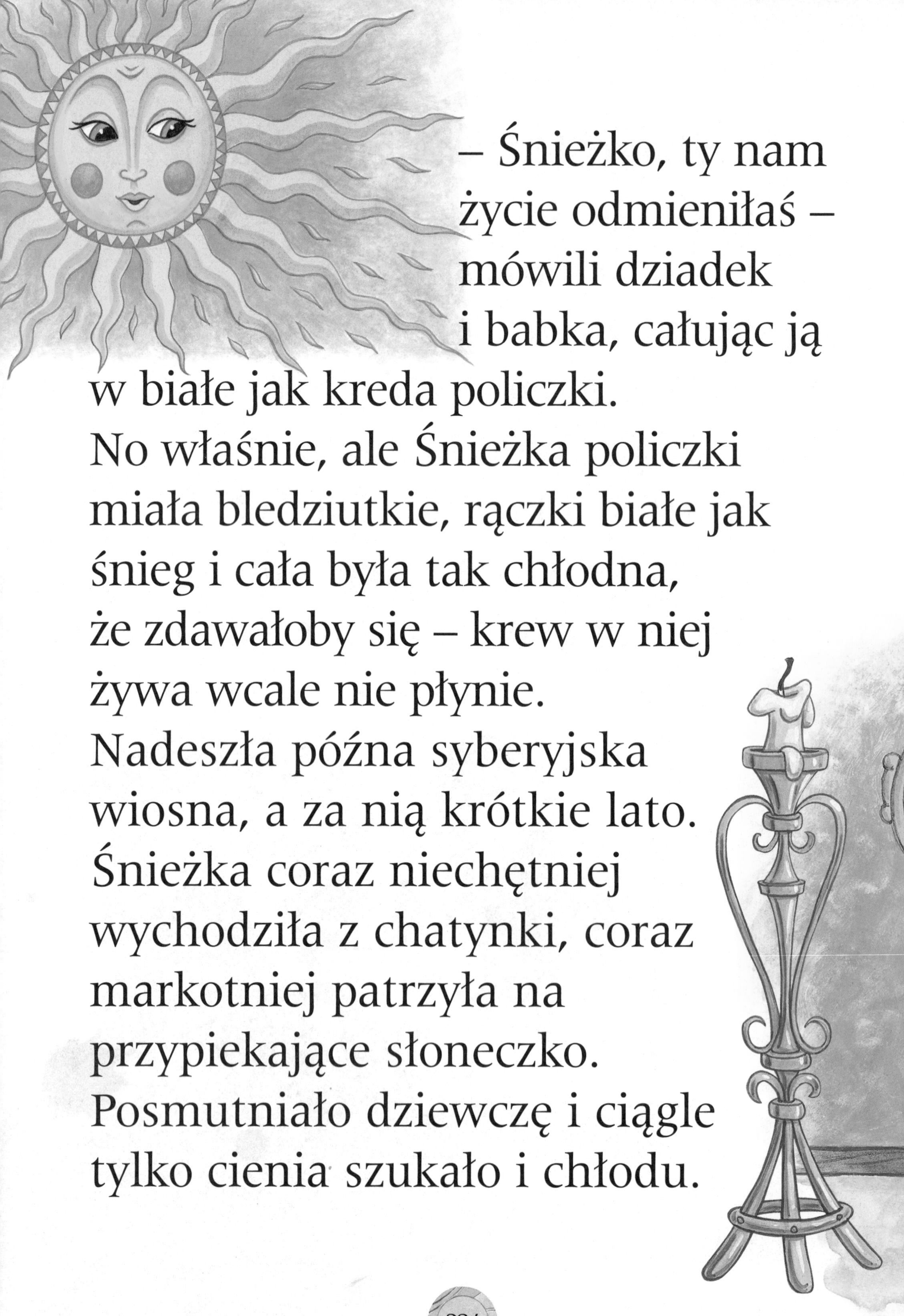

– Śnieżko, ty nam życie odmieniłaś – mówili dziadek i babka, całując ją w białe jak kreda policzki.
No właśnie, ale Śnieżka policzki miała bledziutkie, rączki białe jak śnieg i cała była tak chłodna, że zdawałoby się – krew w niej żywa wcale nie płynie.
Nadeszła późna syberyjska wiosna, a za nią krótkie lato. Śnieżka coraz niechętniej wychodziła z chatynki, coraz markotniej patrzyła na przypiekające słoneczko. Posmutniało dziewczę i ciągle tylko cienia szukało i chłodu.

– Zdrowaś ty, córeczko? – dopytywali się dziadek i babka.
– Zdrowam, kochani, tylko słońce mnie pali, za gorąco na dworze, posiedzę w sionce – odpowiadała Śnieżka.

Któregoś wieczoru młodzi z wioski szli do lasu na wicie wianków, śpiewy i tańce przy ognisku. Zaprosili też Śnieżkę. Chłodno i przyjemnie było wieczorem w lesie. Słońce dawno zaszło, od strumienia powiewało lodowatym wiaterkiem. Chłopcy rozpalili ogień.

Wszystkie panny w wiankach na głowach zaczęły skakać ponad ogniskiem. A która nie skoczy, wiadomo, kawalera nie znajdzie.

– Skacz, Śnieżko, na dobrą wróżbę!

Choć od ogniska żar bije, zauroczona zabawą Śnieżka rozpędziła się, skoczyła... Zasyczało, zaszumiało, Śnieżka zniknęła.

Pojawił się obłoczek białej pary, który razem ze złotymi iskierkami pomknął ku dzwoniącemu gwiazdami niebu. A dziadek i babka długo jeszcze chodzili po lesie, nawołując swą przybraną córeczkę.

Ziarnko bobu

Pewnego razu Kogucik z Kurką zgodnie grzebali w ziemi. A co wygrzebali, tym się dzielili. Wtem Kogucik wygrzebał smakowite ziarnko bobu. Pożałował go Kurce i sam chciał szybko połknąć ziarenko. Niestety, udławił się nim, więc zaczął błagać Kurkę:
– Biegnij nad staw, nad staweczek,
przynieś wody naparsteczek.
Bez wody zadławię się i umrę!

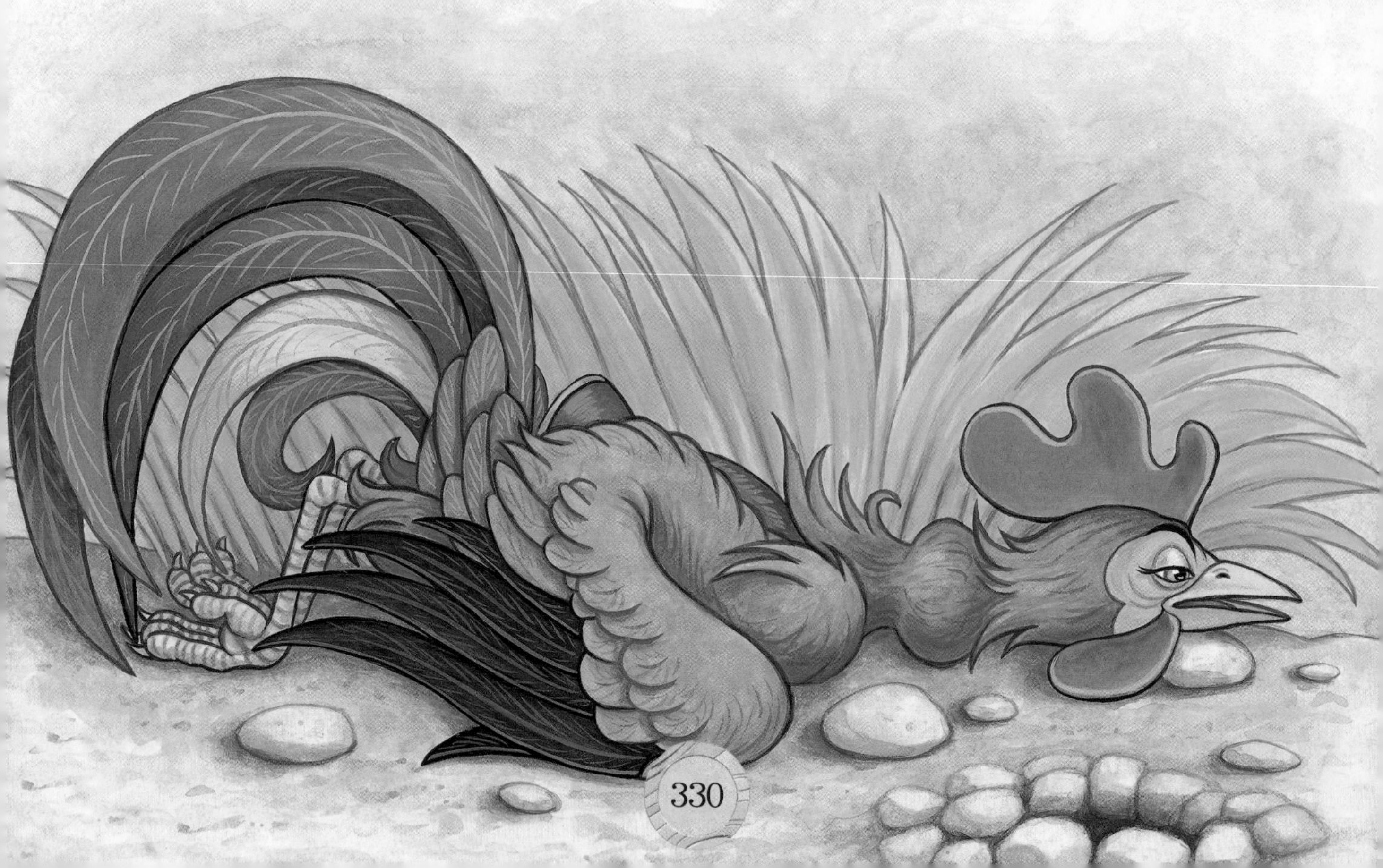

Pobiegła Kurka nad staw i woła:
– Stawie, staweczku, daj mi wody w naparsteczku!
A staw na to się odzywa:
– Pójdź do lipy zielonej, przynieś jeden listek młody, dam ci w zamian trochę wody.

Pobiegła Kurka do lipy zielonej.
– Lipo zieloniutka, dla mego kogutka daj młody listeczek, dostanę za niego wody naparsteczek!
Ale lipa na to zaszumiała:
– Pójdź do prządki, poproś dla mnie o nić. Bez tego nie dam ci nic.
Pobiegła Kurka do prządki, o nitkę się pokłonić.

– Daj mi jedną z twych niteczek, wymienię ją na listeczek. Za listek dostanę wody i nie zginie mój kogucik młody.
Prządka na to:
– Idź do rzemieślnika, uproś tam grzebyka. Za grzebyk dam ja tobie nitkę.

Pobiegła Kurka, gdzie jej kazano.
– Rzemieślniku, daj jeden z twych grzebyków. Będzie za niego niteczka, za nitkę dostanę listeczek, wtedy staw da wody, by przeżył mój kogucik młody.
Rzemieślnik odpowiedział:
– Idź do piekarzy, pogdacz trochę, niech ci dadzą chleba bochen!
– Dyr-dyr-dyr! Już Kurka puka dziobkiem do piekarzy.

– Piekarze, piekarze, dajcie chleba w darze. Za chleb dostanę grzebyczek, wymienię go na nitkę, nitką przekonam lipkę, od niej dostanę listeczek, wrzucę ja go w staweczek, w zamian dostanę wody, by mój kogucik przeżył młody!
– Damy chleba, ale drew nam potrzeba. Żeby w piecu napalić, pędź po drwa do drwali – odpowiedzieli piekarze.

Pognała Kurka do lasu, gdzie drwale wycinali stare drzewa.
– Drwale, drwale, nie skąpcie mi drewna wcale! Za drwa dostanę bochen chleba, którego na grzebień mi trzeba.

Grzebień dam prządce
za nitkę, nitkę
wymienię na listek,
za listek dostanę wody,
bo tam kogucik czeka młody!

Zlitowali się drwale, dali
Kurce stos drewek,
pożyczyli szczęścia i przykazali
się pospieszyć. Pochwyciła Kurka
drewienka, pognała do kucharzy.
Bochen gorącego
chleba zaniosła
rzemieślnikowi,
który dał jej grzebień.
Grzebień zaniosła prządce
i wyprosiła od niej nitkę.
Z nitką jedwabną w dziobie
pognała do lipki. Lipka
z nitki się ucieszyła,
otrząsnęła się
i podarowała
Kurce najpiękniejszy
ze swych zielonych
listków.

Z listkiem
w dziobie Kurka
pobiegła nad
stawek. Tam
wymieniła swój skarb
na naparstek wody.
Zaniosła Kurka wodę
Kogutkowi.

Ten dziobek zamoczył, przełknął, razem z wodą połknął ziarnko bobu. Dziarsko wskoczył na płot i zapiał na całe gardło: „Kukurykuuu!”.
A potem już zawsze dzielił się z Kurką tym, co znalazł, niczego dla siebie nie chował.

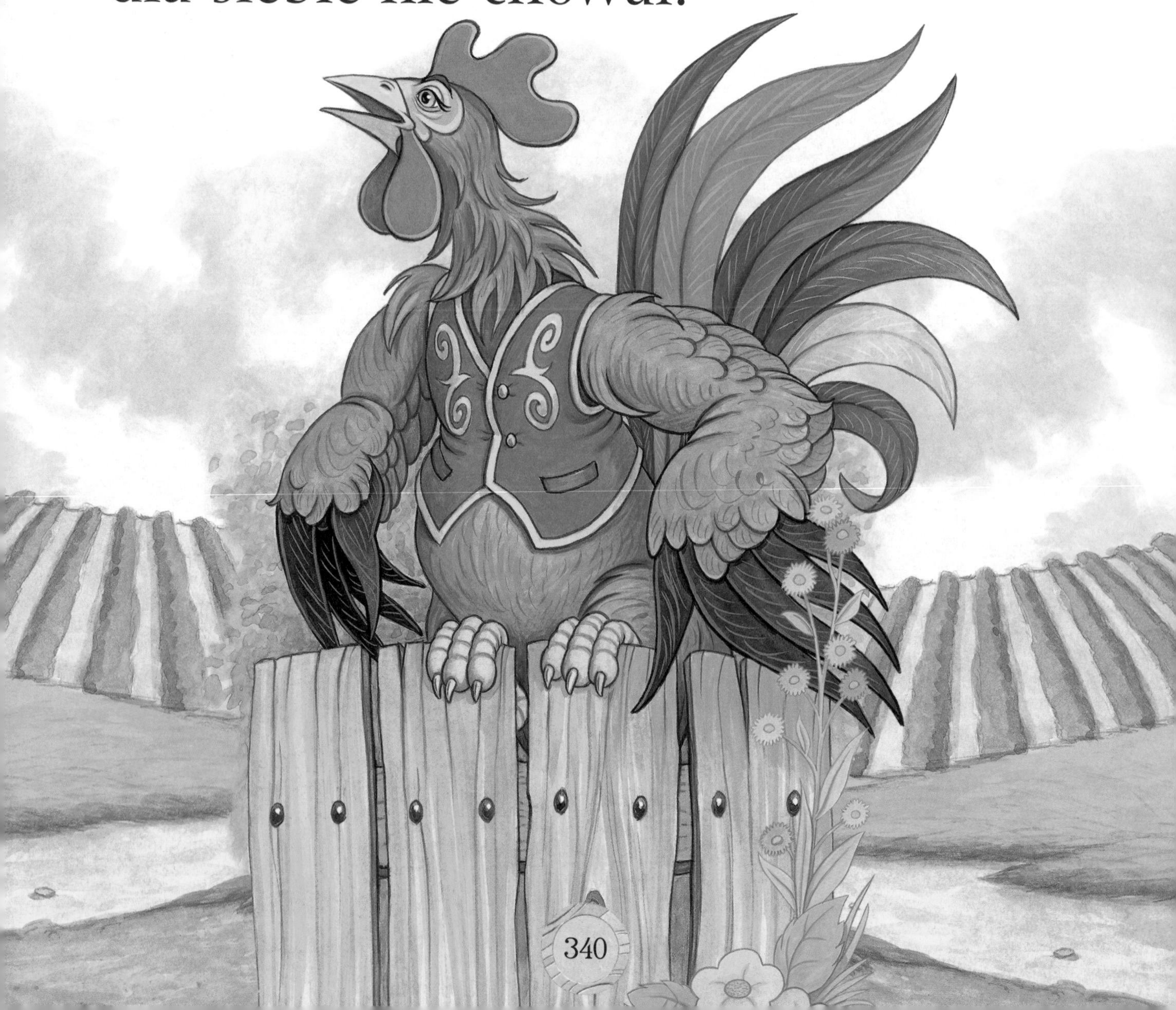

Dzielny ołowiany żołnierzyk

Któregoś dnia do małego sklepu z zabawkami przyszedł pewien człowiek i powiedział:
– Chciałbym armię ołowianych żołnierzyków dla mojego synka.

– Bardzo proszę – ukłonił się sprzedawca. – Może pan kupić całe pudełko, ale jedna figurka jest uszkodzona – i wyjął ze szkatułki żołnierzyka bez nogi.
– Jeśli pozostałe są dobre, wezmę wszystkie – zadecydował mężczyzna.

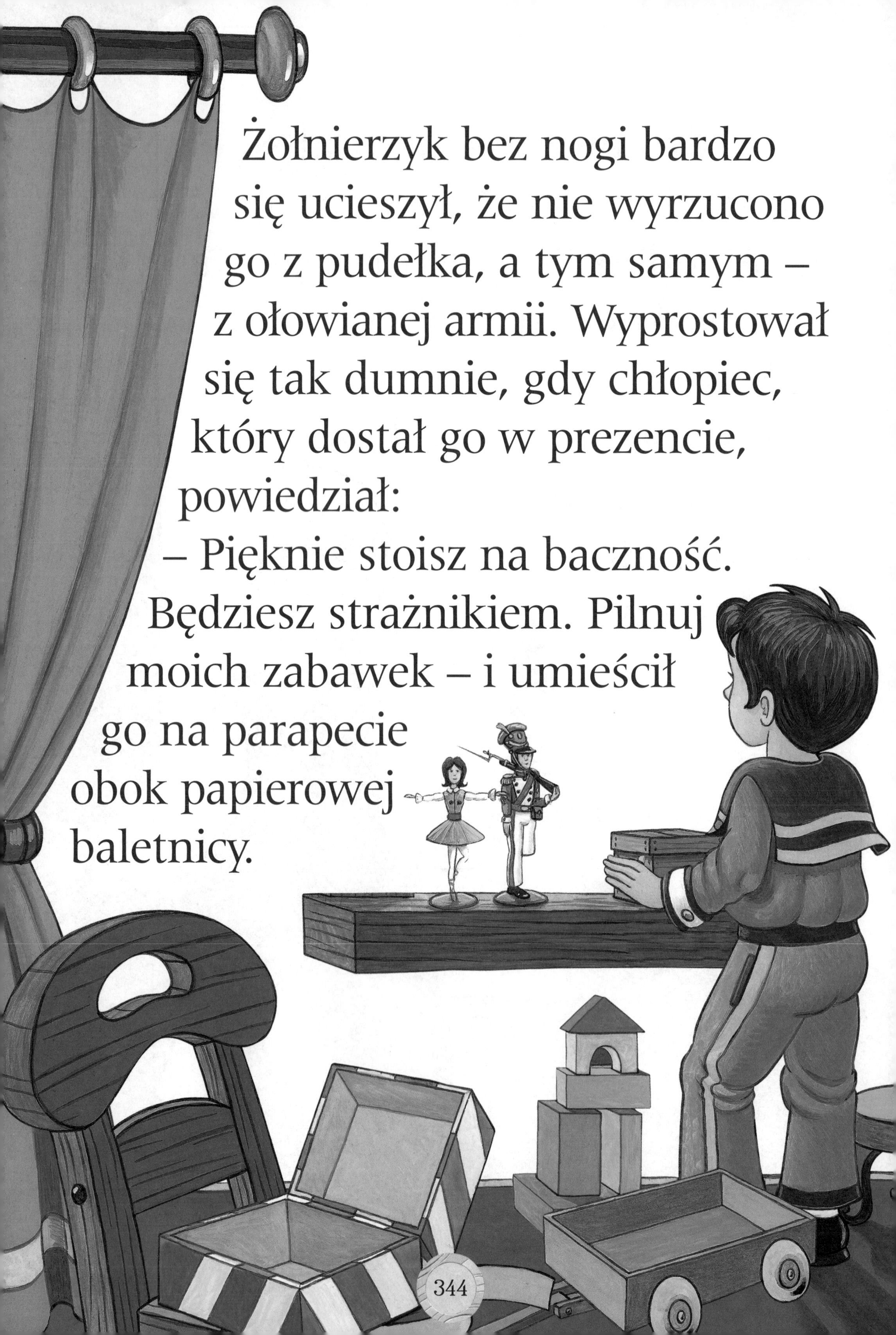

Żołnierzyk bez nogi bardzo się ucieszył, że nie wyrzucono go z pudełka, a tym samym – z ołowianej armii. Wyprostował się tak dumnie, gdy chłopiec, który dostał go w prezencie, powiedział:

– Pięknie stoisz na baczność. Będziesz strażnikiem. Pilnuj moich zabawek – i umieścił go na parapecie obok papierowej baletnicy.

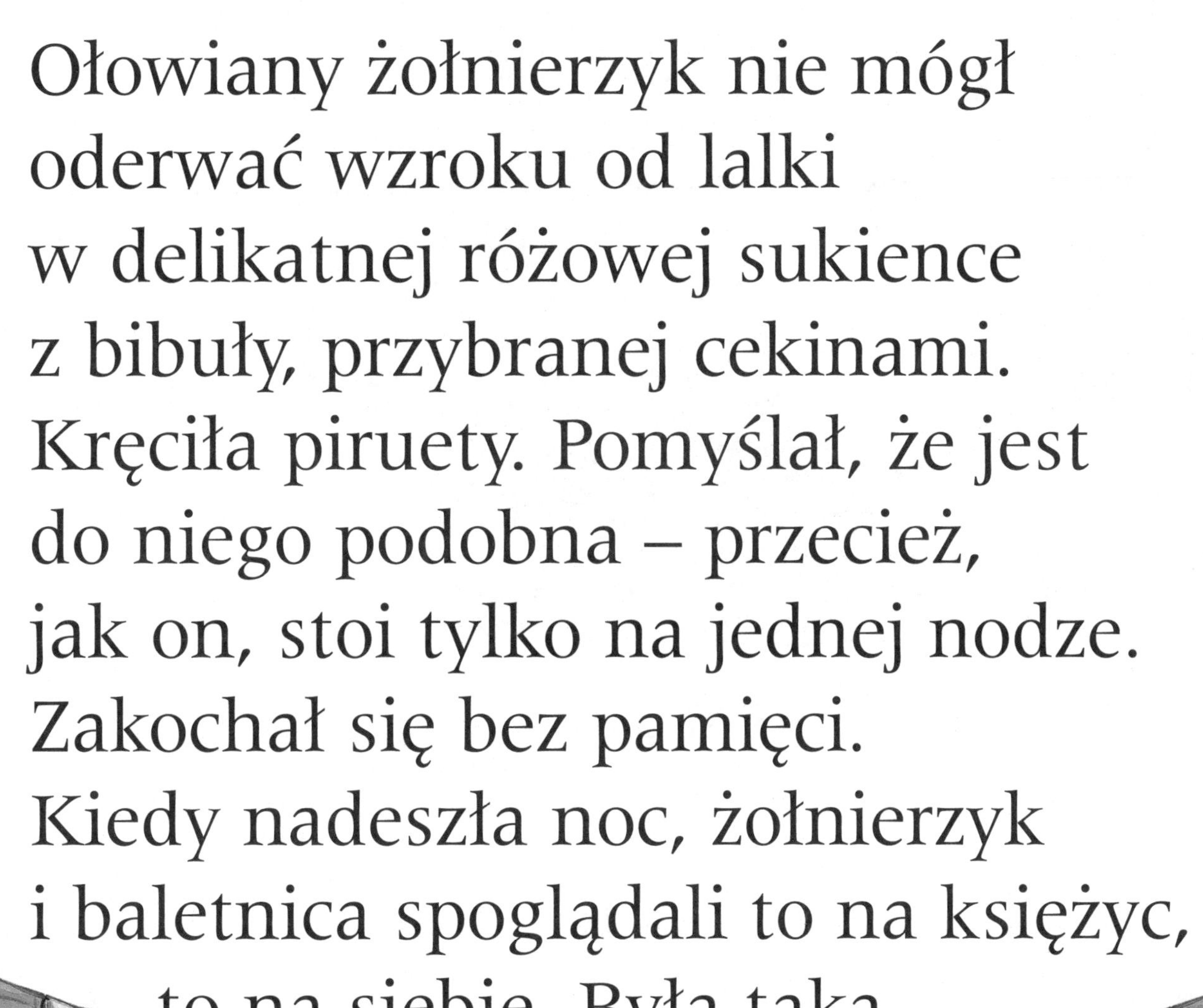

Ołowiany żołnierzyk nie mógł oderwać wzroku od lalki w delikatnej różowej sukience z bibuły, przybranej cekinami. Kręciła piruety. Pomyślał, że jest do niego podobna – przecież, jak on, stoi tylko na jednej nodze. Zakochał się bez pamięci. Kiedy nadeszła noc, żołnierzyk i baletnica spoglądali to na księżyc, to na siebie. Była taka piękna!

– Trrrach! – rozległo się nagle. To otworzyło się drewniane pudełko, stojące na parapecie. Wyskoczył z niego złośliwy pajac na sprężynie.
– Nie gap się tak na nią! – krzyknął.
– Wszystkie zabawki wiedzą, że ma zostać moją żoną!
Żołnierz nie przestraszył się, nie! Był bardzo dzielny. Ale wieczko pudełka potrąciło go. Stracił równowagę (miał przecież tylko jedną nogę) i runął z parapetu na ulicę.

Dwa łobuziaki podniosły
go z chodnika i włożyły
do papierowej łódeczki,
którą puściły w rejs
po rynsztoku.

Czy myślisz, że żołnierzyka ogarnął strach? O nie! Stał dumny i wyprostowany. Wyglądał jak prawdziwy kapitan. Rwący prąd zaniósł łódeczkę do kanału.

– Masz paszport? – zawołał na jego widok groźny szczur, ale żołnierzyk nawet na niego nie spojrzał.

Z kanału trafił do rzeki. Czy wiesz, co tam się stało? Wielka ryba pomyślała, że to jakiś smaczny kąsek i… połknęła go.

Ale to jeszcze nie koniec tej historii. W domu chłopca przygotowywano kolację. Jakież było zdumienie kucharki, gdy z rozciętej ryby, którą kupiła na targu, wypadł ołowiany żołnierzyk bez nogi. Ten sam, który niedawno zginął.

– Hurra! – ucieszył się chłopiec. – Urządzę defiladę na cześć bohatera.

Zebrał wszystkie zabawki i ustawił je przed kominkiem.

– Ach – westchnął ołowiany żołnierzyk, bo znów zobaczył ukochaną baletnicę.
– Och – westchnęła baletnica.
– Ha! – krzyknął pajac na sprężynie. Wieczko pudełka potrąciło żołnierza i lalkę. Wpadli prosto w płonący na kominku ogień.

Zostało z nich tylko małe
ołowiane serduszko
z lśniącym cekinem
w środku – jedyny
ślad wielkiej miłości.

Złotowłosa i trzy niedźwiadki

Żyła kiedyś bardzo ciekawska,
uparta i zarozumiała dziewczynka.
Nigdy nie sprzątała swojego
pokoju i bez pytania
zabierała innym
dzieciom zabawki.
Była do tego śliczna jak
obrazek. A że miała warkocze
koloru pszenicy, nazywano
ją Złotowłosą.

Pewnego dnia wybrała się
na spacer do lasu. Szła i szła,
aż zawędrowała na polanę,
gdzie stała drewniana chatka.

Złotowłosa zapukała, a ponieważ nikt nie odpowiadał, nacisnęła klamkę. Drzwi ustąpiły, weszła więc do środka.

– O, kasza! – zawołała na widok stołu, na którym stały trzy talerze. – Spróbuję, jak smakuje.

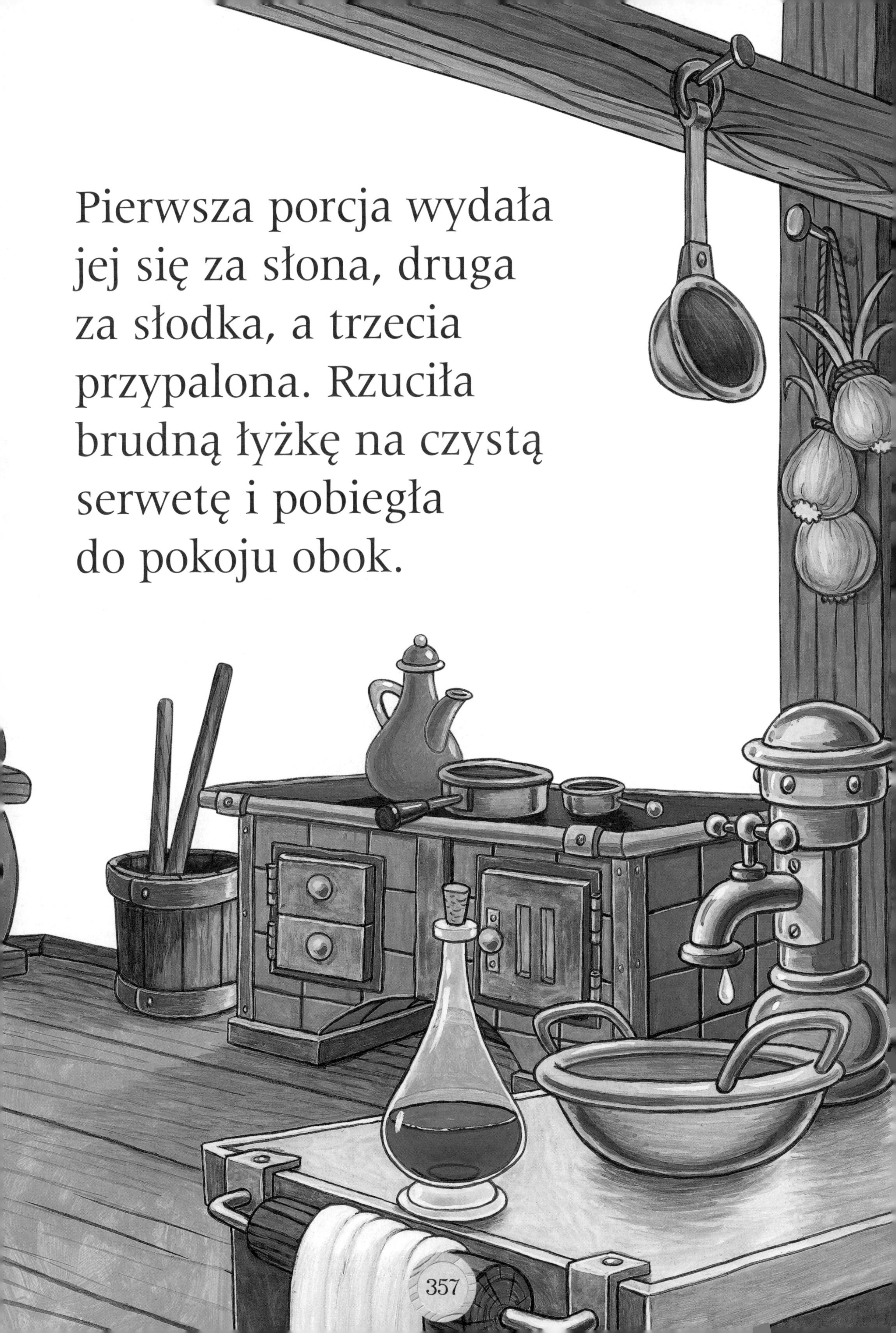

Pierwsza porcja wydała
jej się za słona, druga
za słodka, a trzecia
przypalona. Rzuciła
brudną łyżkę na czystą
serwetę i pobiegła
do pokoju obok.

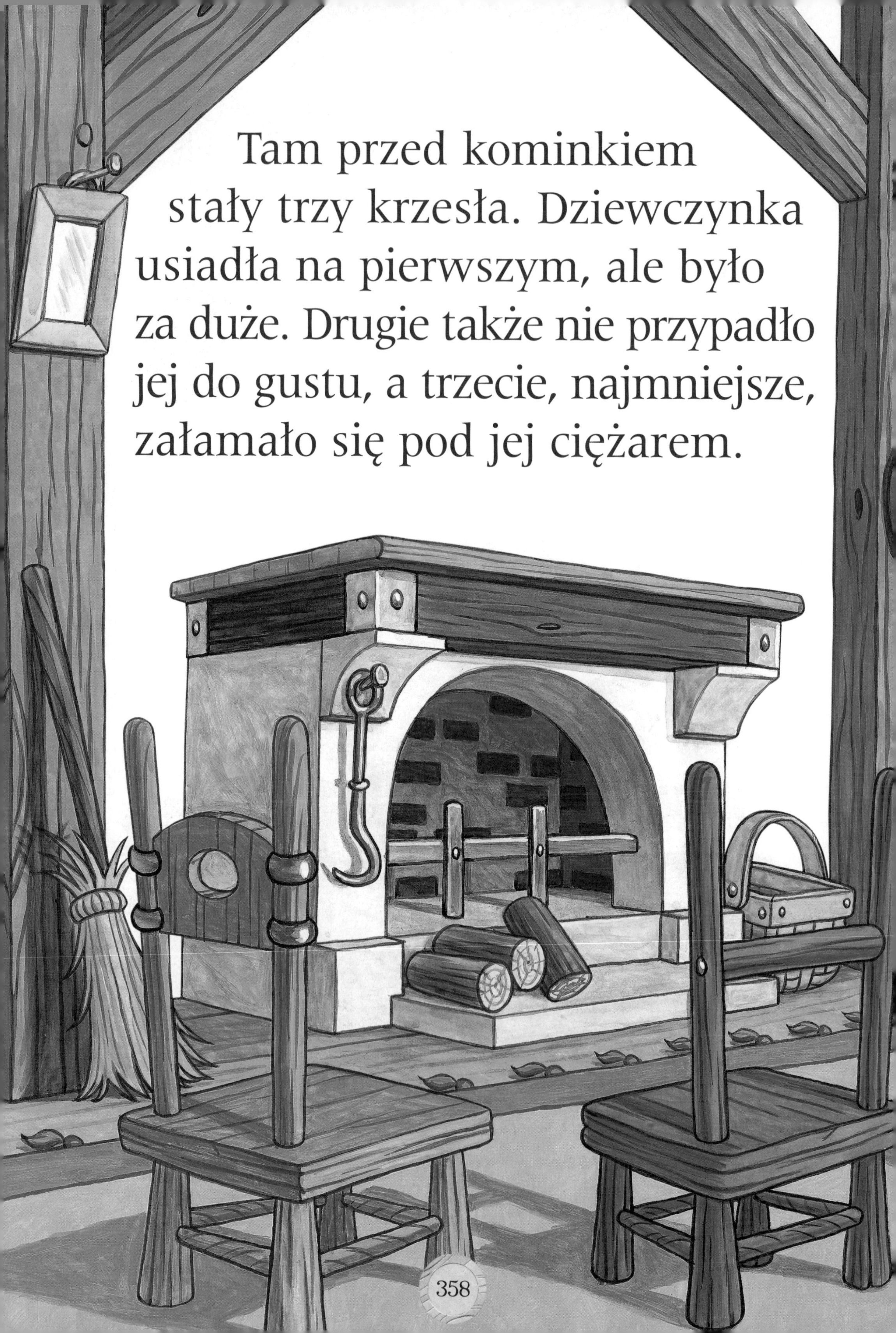

Tam przed kominkiem stały trzy krzesła. Dziewczynka usiadła na pierwszym, ale było za duże. Drugie także nie przypadło jej do gustu, a trzecie, najmniejsze, załamało się pod jej ciężarem.

– Też coś – prychnęła – żeby trzymać w domu takie marne meble! Nawet usiąść na nich nie można.

Poszła do sypialni. Tutaj znalazła trzy łóżka. Największe od razu jej się nie spodobało. Średnie miało niewygodny materac.

Najmniejsze było wprawdzie trochę za krótkie, ale Złotowłosa zrzuciła z niego poduszki i jakoś się ułożywszy, zasnęła.

Obudziła ją głośna rozmowa.
– Ktoś jadł z mojego talerza – usłyszała. – Ktoś zepsuł moje krzesełko! A w dodatku ktoś śpi w moim łóżeczku!
– Ratunku!!! – krzyknęła Złotowłosa i uciekła.

Do sypialni weszli bowiem gospodarze drewnianego domku: tata niedźwiedź, mama niedźwiedzica i synek niedźwiadek.

Dziewczynka dostała nauczkę.
Od czasu tej przygody jest trochę
mniej ciekawska, uparta
i zarozumiała. Nigdy też nie zostawia
po sobie bałaganu i nie rusza
cudzych rzeczy bez pytania.

SPIS TREŚCI

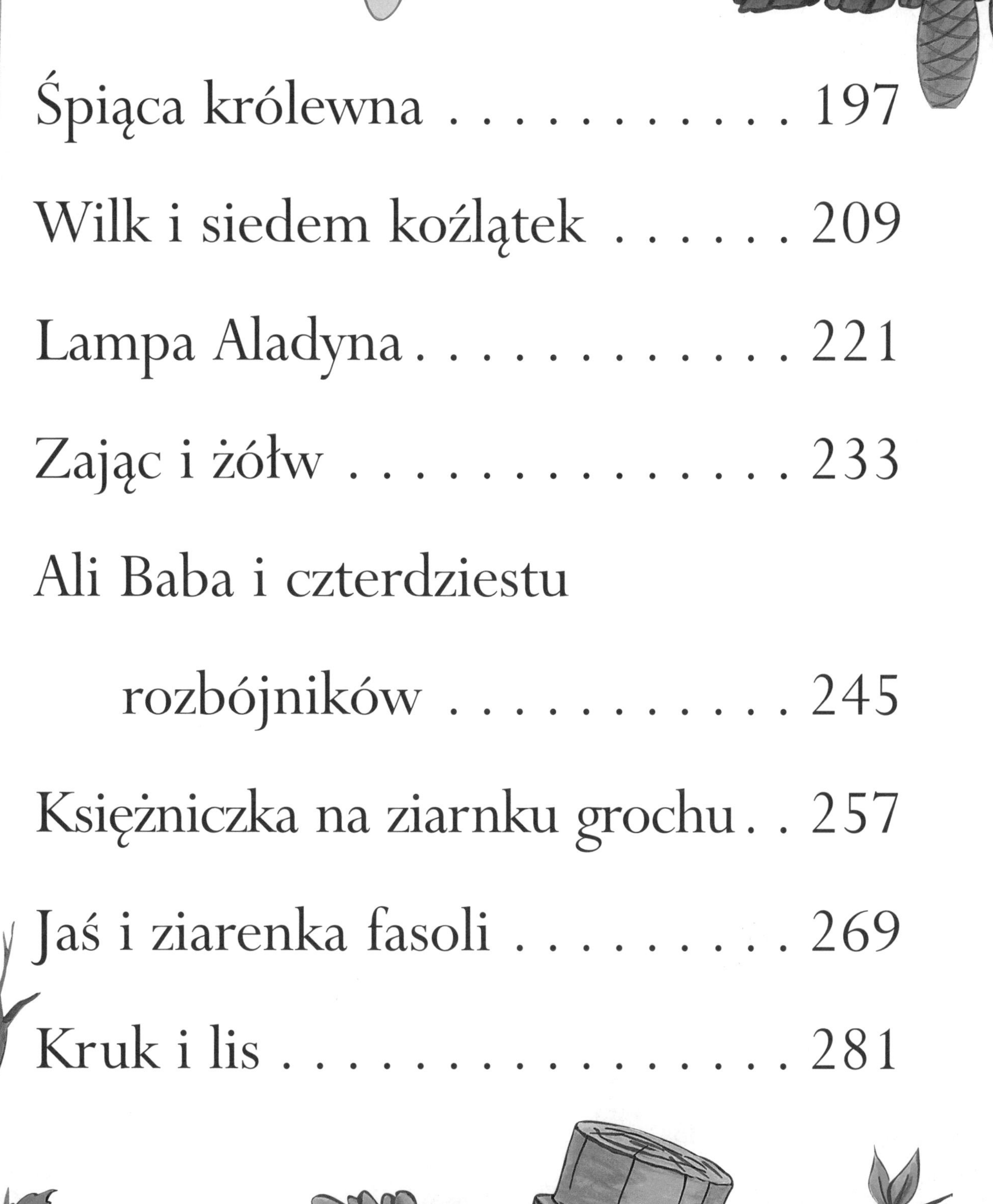